DR. **PATRICK ROCHA**

Diabetes
Controlada

O PROGRAMA ALIMENTAR PARA
CONTROLAR A DIABETES E VOLTAR
A VIVER BEM EM **30 DIAS**

Diretora
Rosely Boschini

Gerente Editorial
Marília Chaves

Assistente Editorial
Juliana Cury Rodrigues

Controle de Produção
Karina Groschitz

Preparação
*Geisa Mathias de Oliveira
e Entrelinhas Editorial*

Projeto Gráfico e Diagramação
Ronaldo Alves

Revisão
Luciana Baraldi

Capa
Ronaldo Alves

Imagens de capa
*FreeImages / Alessandro Paiva, EranChessnut,
Naymaa Y.M., Shutterstok / Somchaij,
Joe Gough, Kovaleva_Ka, LukasGojda,
SergiyKuzmin, Nuclear_lily, Kerdkanno,
BozenaFulawka, Stockcreations*

Impressão
Assahi

Copyright © 2017 by
Patrick Rocha e Relri Stein
Todos os direitos desta edição
são reservados à Editora Gente.
Rua Original, 141/143
São Paulo, SP – CEP 05435-050
Telefone: (11) 3670-2500
Site: www.editoragente.com.br
E-mail: gente@editoragente.com.br

Dados Internacionais de Catalogação na Publicação (CIP)
Angélica Ilacqua CRB-8/7057

Rocha, Patrick
  Diabetes controlada: o programa alimentar
para controlar a doença e voltar a viver bem em 30 dias/
Patrick Rocha. — São Paulo: Editora Gente, 2017.

ISBN 978-85-452-0154-0

1. Diabetes 2. Diabetes – Aspectos nutricionais 3. Saúde 4.
Bem-estar I. Título

17-0360   CDD 616.4620654

Índice para catálogo sistemático:
1. Saúde: Diabetes: Aspectos nutricionais 616.4620654

CARO LEITOR

Pensando especialmente em você que sofre
de diabetes e pode ter algum problema de visão,
desenvolvemos um projeto gráfico para este livro
com fonte maior e páginas mais arejadas.

Desejamos que, durante esta incrível jornada,
você se sinta confortável e feliz!

Sumário

AGRADECIMENTOS

Quando fiz o juramento de Hipócrates, no final de 2001, em minha formatura do curso de Medicina, jamais imaginaria que retornaria aos preceitos do pai da Medicina ocidental: "Cuidar das pessoas e ensiná-las a fazer do seu alimento o melhor remédio", descobrindo assim a minha verdadeira missão de vida.

Nesse momento, uma frase de Melody Beattie também me vem à cabeça: "A gratidão transforma o que temos em suficiente: a refeição em um banquete, uma casa em um lar, um estranho em um amigo".

Minha gratidão maior é a Deus, por ter me presenteado com essa nobre missão de ajudar a resgatar a saúde dos amigos que sofrem com diabetes.

Agradeço a Rosely Boschini, Marília Chaves, Danyelle Sakugawa e a toda a equipe da Editora Gente que acreditaram na minha missão e desenvolveram um trabalho incrível em soma de todos os seus talentos.

Agradeço ao meu amigo e parceiro Relri Stein, que vislumbrou o potencial de todo o projeto e trabalhou incansavelmente para que hoje ele se tornasse esta incrível realidade.

Agradeço à Paola Stein, nossa força motriz, e a toda equipe de designer, copidesque e suporte da LifeBee, por terem viabilizado o dia a dia do nosso projeto.

Agradeço ao meu pai, Hildeu Correa Santos, que esteve constantemente presente e me acompanhou nas edições dos vídeos e me motivou e me orientou na evolução da minha comunicação ao longo deste projeto.

Um agradecimento especial à minha mãe, Abgail Rocha, mulher virtuosa, que em sua sabedoria me apoiou incondicionalmente e me ensina, a cada dia, a fazer o melhor da minha vida.

E, por último, a minha imensa gratidão a você, amigo leitor, que é a razão e a inspiração que me motivam nesta busca desafiadora de romper com os paradigmas tradicionais e compartilhar o que há de mais inovador em instituições e universidades renomadas que se dedicam a trazer à luz as verdadeiras informações sobre essa terrível doença, baseando-se em comprovados e elevados níveis de evidências científicas.

Continuarei cumprindo a minha missão acompanhando-os nesta caminhada rumo à saúde plena.

A todos vocês, a minha mais profunda gratidão.

Dr. Patrick Rocha

EPÍLOGO

A diabetes é uma epidemia global. Só nos Estados Unidos ela afeta 25% da população (uma a cada quatro pessoas); no Brasil os números são parecidos. No entanto, o que muitas pessoas não sabem é que a diabetes tipo 2, a obesidade e o sobrepeso caminham lado a lado. Muitos pensam que o sobrepeso ou a obesidade não trazem risco, porém a realidade e a ciência nos confirmam que estar acima do peso já é um importante passo rumo à diabetes tipo 2. Existe até uma expressão nos Estados Unidos que coloca essas doenças juntas numa só palavra: *"diabesity"* (no português, algo como "diabesidade").

Trataremos aqui de uma doença que traz consigo uma sentença de sofrimento, complicações, dores e até morte. Por isso, precisamos urgentemente adotar uma solução verdadeira e compreender como essa doença funciona para combatê-la com educação em saúde por meio de uma alimentação respaldada pela ciência.

O livro que você tem em mãos, *Diabetes controlada*, o ajudará a retomar a sua saúde, com um passo a passo simples já utilizado no meu treinamento avançado pela internet, o qual já ajudou milhares de alunos pelo Brasil e em todo o mundo.

Mais do que um livro, *Diabetes controlada* é um manual prático e inovador que usa uma linguagem simples e acessível ao leitor. Além disso, esta obra tem como base a alimentação já adotada pelo governo sueco e respaldada por estudos científicos das maiores universidades do mundo.

É importante saber que a diabetes tipo 2 pode ser prevenida e controlada por meio da alimentação e vou lhe mostrar aqui como. Para isso, pegarei na sua mão e caminharemos juntos rumo à saúde plena, que você tanto merece, livre de sofrimento e de complicações diversas. E você realizará tudo isso com muita energia, disposição e alegria de viver.

Só lhe peço, amigo leitor, que leia atentamente este livro, vá além, estude-o, como um manual de vida, compre um caderno, uma caneta e anote tudo o que puder. Leia várias vezes se precisar. E o mais importante: coloque tudo em prática com foco, determinação e disciplina. Tenho certeza de que em breve você me enviará seu depoimento de sucesso.

Um forte abraço e boa leitura!

Dr. Rocha

INTRODUÇÃO

As informações que trago neste livro irão transformar a sua vida a partir de hoje.

Tenho ajudado milhares de pessoas no Brasil e no mundo a recuperarem a saúde por meio de um método cientificamente comprovado. De fácil aplicação e sem efeitos colaterais, ele é capaz de controlar a diabetes tipo 2 diminuindo significativamente as medicações. Já no caso da diabetes tipo 1 — doença em que o corpo ataca as células que produzem insulina no pâncreas — o mesmo método ajuda a reduzir em até 83% o uso da insulina injetável.

Já foi comprovado por estudos de elevado nível de evidência científica realizados nas maiores universidades do mundo[1] que a diabetes não é uma sentença, ou seja, você não está destinado a viver preso a ela por toda a vida. Pelo contrário, você pode ter sua saúde restituída, com vitalidade e energia, e ainda deixar de ingerir diariamente, de forma gradativa e natural, uma grande quantidade de medicamentos. No entanto, é possível fazer isso saboreando alimentos deliciosos sem qualquer peso de consciência.

---

1 Reversing Type 2 Diabetes. *Diabetes.co.uk*.
Disponível em: <http://www.diabetes.co.uk/reversing-diabetes.html>.
Acesso em: 9 mar. 2017.

O método que apresentarei aqui é bastante sério e foi respaldado cientificamente e inclusive, foi adotado pelo governo da Suécia em 2011.

Não importa se você foi diagnosticado recentemente ou se sofre há muito tempo com a doença, se é homem, mulher, jovem, criança ou idoso. Mesmo que esteja em grau avançado da diabetes, seja ela tipo 1, tipo 2, seja pré-diabetes ou diabetes gestacional, esse método funcionará para você.

Meu primeiro contato com a diabetes foi em 1999. Eu era muito jovem e estava cursando medicina na Universidade Federal do Triângulo Mineiro, em Uberaba, Minas Gerais. Na época, também, começava meu estágio no Internato do Hospital Universitário. Mesmo depois de tanto tempo, o episódio que vou narrar foi tão impactante para mim, que ainda me lembro dele como se fosse hoje.

Era uma manhã ensolarada do dia 23 de março de 1999, estava muito quente, mas o "frio na barriga" de nervosismo e ansiedade era muito mais intenso. Sentia-me empolgado, afinal a grande paixão pela medicina era o meu maior motivador.

Chegando ao hospital meu professor me disse que eu seria responsável por três leitos. Determinado, coloquei o meu primeiro jaleco, novinho e muito branco, o contrário da experiência que estava por vir: obscura. Logo você entenderá por quê.

Lembro-me de que dos três leitos apenas um estava ocupado. Confesso que fiquei mais aliviado, pois assim poderia me dedicar exclusivamente a um paciente. (Por questões éticas e de privacidade não falarei seu nome verdadeiro; vou chamá-lo pelo nome fictício de Ricardo).

Entrei no quarto de Ricardo e notei que ele estava acompanhado de sua noiva — os dois já tinham, inclusive, marcado a data do casamento.

Ao me apresentar percebi que os dois estavam muito abatidos. Os olhos vermelhos denunciavam que eles haviam chorado muito. Então, ao ler o prontuário compreendi o motivo de toda aquela tristeza: Ricardo havia sido diagnosticado com diabetes em estado avançado. Mesmo com toda a medicação, ele não melhorava; eram doses e mais doses de insulina e o seu quadro só se agravava. Naquele dia ele recebeu a terrível notícia: teria de fazer uma cirurgia para amputar o pé direito por causa da doença; era essa opção ou aguardar o óbito.

Enfim, a amputação aconteceu. Após a cirurgia acompanhei Ricardo por muitos dias. Quando ele chegava ao quarto para realizar os curativos ficávamos bastante tempo conversando. Esse convívio nos proporcionou uma relação que ia além da relação médico-paciente; tornamo-nos verdadeiros amigos. Ricardo sempre comentava sobre os seus planos para o futuro: seu casamento e seu trabalho.

As semanas passavam e, por mais que as doses de remédios orais e injetáveis aumentassem, seu quadro só piorava: começaram a aparecer feridas também em seu pé esquerdo, algo muito comum em pés diabéticos.

Quando percebi o agravamento da sua situação, comecei a indagar: Por que ele não melhorava mesmo com o aumento da medicação e da insulina? Então tive certeza de que algo estava errado. Refleti por semanas e ainda não entendia e não me conformava com um tratamento que não gerava resultados positivos para os diabéticos.

Certo dia, ao chegar ao hospital, recebi uma notícia inesperada. Em minha prancheta já não constava o nome do Ricardo. Então, a enfermeira-chefe informou-me que eu cuidaria de outros pacientes. Ricardo teve de mudar de quarto e ficaria sob os cuidados de outro médico. Eu fiquei chateado, mas não havia escolha.

Apesar de não ser mais o médico responsável por ele, nosso vínculo de amizade continuou, inclusive fora do hospital. Eu sempre visitava Ricardo e procurava saber como estava seu quadro de saúde.

Os meses passaram, então, num dia nublado e de ventos muito fortes — do qual me lembro como se fosse hoje —, cheguei ao hospital para a troca de turno, mas antes de iniciar os atendimentos fui visitar meu amigo. Ao me aproximar do quarto senti um cheiro forte e notei que a porta estava entreaberta. No entanto, não havia nenhum paciente, apenas a funcionária da limpeza organizando o quarto.

Naquele momento fiquei muito empolgado, será que Ricardo havia recebido alta? Então, fui ao posto de enfermagem para obter notícias. Lá, a enfermeira--chefe me olhou nos olhos com uma expressão séria e carregada de compaixão, pois sabia de meus laços de amizade com Ricardo, e me disse quase sussurrando: seu amigo faleceu.

Eu fiquei imóvel, naquele momento um filme passou pela minha cabeça.

A enfermeira continuou dizendo que o sistema imunológico do Ricardo estava abalado por causa da diabetes, e, assim, entre essas idas e vindas do hospital ele contraiu pneumonia e não resistiu.

Eu fiquei em choque, não queria acreditar. Como havia me tornado amigo do Ricardo, conhecido seus sonhos e seus planos, vê-lo morrer tão jovem me fez carregar essa história por toda a vida. A morte de Ricardo e as histórias de outros pacientes diabéticos que atendi me motivaram a encontrar uma solução para essa terrível doença.

Assim, depois de mais de 15 anos de muitos estudos e pesquisas em artigos científicos das universidades mais conceituadas do mundo, como as universidades de Harvard, Gotemburgo, Estocolmo, John Hopkins, Oxford e Califórnia (dentre outras), concluí que é possível controlar qualquer tipo de diabetes ou até mesmo reverter o quadro de resistência à insulina.

Desse modo, tornei esta a minha missão de vida e o meu compromisso com você, amigo leitor.

Então, seja bem-vindo a esta nova etapa transformadora de sua vida rumo à saúde plena!

CAPÍTULO 1

A REALIDADE DA DIABETES

Existem no mundo inteiro cerca de 422 milhões de diabéticos diagnosticados,[2] fora os milhões de pré--diabéticos que ainda não entraram na estatística. E esse número tem crescido a cada ano. Destes, 90% dos diabéticos são obesos ou apresentam sobrepeso.

No entanto, tenha em mente, amigo leitor, que, quando falo em diabéticos (e pré-diabéticos) neste livro, refiro-me principalmente à diabetes tipo 2, que inclui a obesidade e o sobrepeso. É importante saber, assim, que as epidemias de diabetes e de obesidade estão intimamente ligadas. Costumo até dizer que ambas constituem um matrimônio, de tão íntimas que são.

Segundo Mark Hyman, em seu livro *The blood sugar solution* [A solução da diabetes], em 1985 existia 30 milhões de diabéticos no mundo; em 2011, menos de

2   Número de diabéticos chega a 400 milhões no mundo.
    Folha de S.Paulo, 7 de abril de 2016. Disponível em: <http://www1.folha.uol.com.br/equilibrioesaude/2016/04/1758341-numero-de-diabeticos-chega-a-400-milhoes-no-mundo.shtml>. Acesso em: 9 mar. 2017.

30 anos depois, o número saltou para 366 milhões, um aumento assombroso de 12 vezes. E a previsão para 2030 é de 552 milhões.[3]

Para entendermos melhor a preocupação que devemos ter com a diabetes, é importante saber que ela é uma das principais causas de doenças cardíacas, insuficiência renal e Acidente Vascular Cerebral (AVC) no mundo inteiro.

Nos Estados Unidos, cientistas estimam que a diabetes irá afetar cerca de 50% da população a partir de 2020. Para ilustrar melhor o cenário, pense que, se você estiver de 5 a 7 quilos acima do peso, você dobra as chances de se tornar diabético; já de 8 a 20 quilos acima do peso, você triplica as chances de se tornar diabético. [4]

No Brasil, mais de 16 milhões de brasileiros adultos são diabéticos diagnosticados. Aqui, a doença mata mais de 72 mil pessoas por ano, segundo a Organização Mundial de Saúde (OMS) — órgão respeitadíssimo que

3 HYMAN, Mark. *The Blood Sugar Solution: UltrahealthyProgram for Losing Weight, Preventing Disease, and Feeling Great Now.* New York: Ed Little, Brown and Company, 2012.

4 ALLEN, Jane E. Half of the american adults headed for Diabetes by 2020, United Health Says. *ABC news medical unit.* Disponível em: <http://abcnews.go.com/Health/Diabetes/diabetes-half-us-adults-risk-2020-unitedhealth-group/story?id=12238602>. Acesso em: 9 mar. 2017.

cataloga, estuda e publica informações sobre todas as doenças ao redor do mundo — em relatório divulgado em 2016.[5] O problema é ainda maior quando pensamos que, para cada diabético diagnosticado, existe um não diagnosticado, portanto estamos falando de mais de 30 milhões de brasileiros pré-diabéticos ou diabéticos.

A diabetes tornou-se também um problema alarmante entre as nossas crianças. A cada dia, o sobrepeso e a obesidade infantil têm gerado uma nova geração de diabéticos, o que é assustador. Uma em cada três crianças, de 5 a 9 anos, está acima do peso ou obesa no Brasil, de acordo com a OMS.[6] Mais de 40% das crianças brasileiras estão acima do peso ou obesas.

Nos Estados Unidos, a obesidade infantil triplicou de 1980 até 2014. Lá existem 2 milhões de crianças com obesidade mórbida e uma em cada três será diabética na vida adulta. O problema é tão sério, que a obesidade infantil tem mais impacto na redução da

---

5 OMS diz que mais de 16 milhões de brasileiros sofrem de diabetes. *Agência Brasil*, 6 de abril de 2016. Disponível em: <http://agenciabrasil.ebc.com.br/geral/noticia/2016-04/oms-diz--que-mais-de-16-milhoes-de-brasileiros-sofrem-de-diabetes>. Acesso em: 9 mar. 2017.

6 Obesidade atinge mais da metade da população brasileira, aponta estudo. *Portal Brasil*, 27 de agosto de 2013. Disponível em:<http://www.brasil.gov.br/saude/2013/08/obesidade--atinge-mais-da-metade-da-populacao-brasileira-aponta-estudo>. Acesso em: 9 mar. 2017.

expectativa de vida do que todas as formas de câncer infantil combinadas.[7]

Até a década de 1990, só eram registrados casos de diabetes infantil do tipo 1, que exige o uso diário de insulina. Atualmente, há uma epidemia mundial de diabetes tipo 2 em crianças. Por isso, presenciamos crianças de 8 anos obesas e diabéticas e derrames em adolescentes na faixa dos 15 anos — e esse cenário tende a piorar com a atual alimentação.[8]

A ausência de um projeto de educação em saúde no Brasil é preocupante, e é urgente a necessidade de educar os pais para que possam oferecer aos filhos uma alimentação mais saudável a fim de mudar esse quadro. As crianças aprendem com o exemplo dos pais, sabemos disso.

O QUE É DIABETES?

A diabetes tipo 2 é uma doença caracterizada pela elevação da glicose no sangue (hiperglicemia) e também da insulina (hiperinsulinemia). A má alimentação é

---

7   Obesity Rates & Trends Overview. *The state of obesity*. Disponível em: <http://stateofobesity. org/obesity-rates-trends-overview/>. Acesso em: 9 mar. 2017.

8   REINEHR, Thomas. Type 2 diabetes mellitus in children and adolescents. *World Journal of Diabetes*. 15 de dezembro de 2013. Disponível em: <https://www.ncbi.nlm.nih.gov/ pmc/articles/PMC3874486/>. Acesso em: 9 mar. 2017.

indiscutivelmente a maior causa dessa doença. A alimentação rica em trigo e açúcar eleva constantemente os níveis de açúcar no sangue, obrigando o pâncreas a produzir muita insulina, cuja função principal é promover a entrada da glicose nas células do organismo.

Já a glicose não pode permanecer em circulação no sangue, pois é tóxica e pode lesar as células e os tecidos. Com o tempo, as células se tornam resistentes e, mesmo que o pâncreas produza mais e mais insulina, não consegue mais fazer com que toda a glicose seja absorvida pelas células, o que recebe o nome de resistência à insulina.

Essa resistência, além da diabetes tipo 2, leva ainda à obesidade e pode causar também hipertensão (pressão alta) e triglicerídeos elevados, um quadro chamado de Síndrome Metabólica.

Assim, a diabetes tipo 2 leva a um acúmulo de glicose e insulina no sangue e é uma doença silenciosa e traiçoeira que traz complicações devastadoras enquanto avança, as quais veremos mais adiante.

A instalação desse quadro geralmente é lenta e os sintomas são sede, aumento de diurese (o paciente urina muito), dores nas pernas, cansaço, alterações visuais, tonturas e fraqueza. A diabetes tipo 2 acomete principalmente adultos a partir de 50 anos, mas tem atingido cada vez mais jovens e crianças também como consequência principalmente da alimentação atual (carboidratos refinados e alimentos industriais).

Já a diabetes tipo 1 é resultado da destruição das células beta do pâncreas por um processo imunológico, ou seja, pela formação de anticorpos pelo próprio organismo contra as células beta, levando à deficiência de insulina. Em geral, costuma acometer crianças, adultos jovens, mas pode se desencadear em qualquer faixa etária.

O quadro clínico mais característico no diabético tipo 1 é o início relativamente breve (alguns dias, até poucos meses) de sintomas como: sede, diurese e fome excessiva, emagrecimento, cansaço e fraqueza. Se o tratamento não for instalado com rapidez, poderá evoluir para desidratação severa, vômitos, sonolência, dificuldades respiratórias e coma. Esse quadro grave é conhecido como cetoacidose diabética.

COMO É O DIAGNÓSTICO?

O diagnóstico da diabetes é feito por exame laboratorial: glicemia de jejum maior que 126 mg/dl (em jejum de oito horas), glicemia casual em qualquer horário do dia maior que 200 mg/dl em pacientes com sintomas característicos e glicemia maior que 200 mg/dl duas horas após sobrecarga oral de 75 gramas de glicose.

Já os pré-diabéticos apresentam glicemia de jejum maior que 110 mg/dl e menor que 126 mg/dl, glicemia após sobrecarga de 75 gramas de glicose oral entre 140 mg/dl e 200 mg/dl.

AS COMPLICAÇÕES DA DIABETES

Existe um termo médico chamado diabetes descompensada, que se refere às consequências físicas e mentais aterrorizantes causadas por essa doença, que inclusive podem levar a outras mais graves.

Isso ocorre porque o sistema de defesa do corpo de um diabético (sistema imunológico) fica debilitado, comparado ao de um não diabético, devido às complicações do aumento da glicose no sangue. Citaremos a seguir cada uma das áreas do corpo atingidas, assim você entenderá por que a diabetes é a maior causa de doenças crônicas e da diminuição da qualidade e expectativa de vida.

Coração

Os diabéticos apresentam até quatro vezes mais riscos de sofrerem infartos do que os não diabéticos, o que está diretamente ligado à pressão alta. Quatro a cada dez diabéticos do tipo 2 sofrem com essa condição.[9] Essas enfermidades somadas são uma bomba-relógio para a saúde.

O acúmulo de lipoproteínas e plaquetas favorece o surgimento de trombos, ou seja, obstruções de vasos que são de alto risco para o coração. Ser pré-diabético também aumenta em quatro vezes o risco de sofrer infartos. A maioria dos diabéticos tipo 2 sofre de alguma doença cardiovascular.[10]

Olhos

Segundo estatísticas, sete em cada dez diabéticos sofrem de algum tipo de cegueira.[11] Essas estatísticas

---

9 Disponível em: <http://saude.abril.com.br/bem-estar/qual-a-relacao-entre-hipertensao-e-diabete/ >. Acesso em: 9 mar. 2017.

10 HYMAN, Mark. *The Blood Sugar Solution: UltrahealthyProgram for Losing Weight, Preventing Disease, and Feeling Great Now.* New York: Ed Little, Brown and Company, 2012.

11 WORLD HEALTH ORGANIZATION. Prevention of blindness from diabetes mellitus. 2006.

tornam a diabetes a principal causa desse problema no mundo. A glicose em excesso danifica os nervos da região ocular, inflamando o nervo óptico. Assim, com o tempo ocorre a retinopatia diabética (doença da retina causada pela doença). Nesse cenário, o nervo óptico tem a mácula degenerada, que é a parte dos olhos que recebe a luz, o que pode levar à perda total da visão.

Catarata e glaucoma são outras doenças que podem afetar os diabéticos. O tratamento que apresentarei no decorrer deste livro pode ajudar aqueles que já perderam parte da visão a estabilizar tal condição, prevenindo a cegueira.

Rins

A insuficiência renal é também uma das complicações da diabetes. A elevação persistente da glicose pode afetar e inflamar os tecidos do rim, que age como um filtro do nosso organismo. É por esse órgão que passa todo o sangue do corpo, que, ao ser degenerado pela doença devido ao excesso de glicose, perde sua função e para de funcionar apropriadamente.

Disponível em: <http://www.who.int/blindness/Prevention%20of%20Blindness%20 from%20Diabetes%20Mellitus-with-cover-small.pdf?ua=>. Acesso em: 9 mar. 2017.

A diabetes é hoje a principal causa de insuficiência renal, que pode chegar a graus em que é preciso centros de diálise e hemodiálise para que o sangue seja filtrado. Cerca de um terço dos diabéticos sofre de algum grau de insuficiência renal.[12]

Pés - síndrome do pé diabético

Essa síndrome traz sintomas bem desagradáveis para os diabéticos, entre eles os mais comuns são: formigamentos (atinge cerca de 30% dos diabéticos), perda de sensibilidade local, dores, queimação, sensação de agulhada e dormência.

A síndrome do pé diabético é uma das complicações da diabetes e pode levar à amputação. A necrose nos tecidos dos pés é decorrente do excesso de glicose, e pode atingir tendões, músculos e vasos. Cerca de 60% das amputações de membros inferiores são decorrentes da diabetes.[13]

12 NATIONAL KIDNEY FOUNDATION. Diabetes e Insuficiência Renal Crônica. Disponível em: <https://www.kidney.org/sites/default/files/docs/11-10-1203_kai_patbro_diabetesckd_1-4_pharmanet_portuguese_nov08_lr.pdf>. Acesso em: 9 mar. 2017.

13 Disponível em: <http://www.diabetes.org.br/diabetes-na-imprensa/713-maioria-dos-casos-de-amputacao-de-pernas-e-pes-e-por-falta-de-cuidados-com-o-diabetes>. Acesso em: 9 mar. 2017.

Pênis

Um dos maiores medos de um homem é a impotência sexual. É um tabu cultural que amedronta muitos dos pacientes com diabetes. O homem diabético poderá sofrer muito com a impotência sexual causada pela má circulação do sangue, devido ao excesso de açúcar, o que pode levar à inflamação e lesão dos vasos e nervos do pênis. Assim, a ereção se torna muito mais difícil, gerando a disfunção erétil. O fator psicológico agrava ainda mais o problema trazendo frustração, angústia, sofrimento, baixa autoestima e até problemas conjugais.

Câncer

A chance de um diabético desenvolver câncer é 50% maior do que um não diabético.[14] A ligação entre obesidade, diabetes e câncer é bem conhecida e ocorre principalmente pela resistência à insulina, que gera uma inflamação a longo prazo.

---

14 Qual é a ligação entre diabetes e o câncer? *Nutrição em câncer.*
   Disponível em: <http://www.nutricaoemcancer.com.br/alimentacao-em-cancer/dicas-de-alimentacao/qual-e-a-ligacao-entre-diabetes-e-o-cancer/>.
   Acesso em: 9 mar. 2017.

Fígado

A insuficiência hepática, não alcoólica, tem como principal causa a diabetes tipo 2, assim como o fígado gorduroso (esteatose hepática). O fígado gorduroso está presente em cerca de 70% dos diabéticos, o que aumenta os riscos de ataque cardíaco e morte.

Depressão

A diabetes é uma importante causa de depressão e de outros transtornos de humor. Com um olhar mais amplo a respeito da diabetes, não poderia deixar de abordar também essa doença, conhecida como o mal do século e que tem atingido significativamente esse grupo de pessoas.

Os diabéticos apresentam fatores relevantes de estresse que facilitam o desenvolvimento de um quadro depressivo: preocupação com os medicamentos, alimentação restritiva, medo do agravamento da doença, impotência sexual, dentre outros. Outro fator é a drástica queda dos níveis de energia, trazendo imenso cansaço para as mínimas tarefas, perda de vigor e desmotivação diante da vida.

A falta de acesso a informações sobre o tratamento, que geralmente parece confuso para os pacientes, também causa insegurança e ansiedade.

Observamos ainda que o tratamento atual tira o prazer do diabético no seu convívio social: sair para uma festa, jantar, almoçar e até um simples café com amigos.

Ainda, de acordo com um estudo da revista *New England Journal of Medicine*,[15] a diabetes reduz não só a qualidade, mas também a expectativa de vida, que diminui em média em seis anos, uma vez que traz muitas doenças crônicas letais como consequência.

Em 15 anos de carreira médica, presenciei o sofrimento de muitas famílias que acompanharam entes queridos e os viram tornarem-se vítimas de amputações, perda da visão ou que tiveram de passar por hemodiálise ou sofreram com pressão alta e foram vítimas de infarto e AVC.

A soma de todos esses fatores mudou a minha visão como médico, motivando-me a buscar soluções mais claras, melhores e eficazes para aliviar os diabéticos de tanta dor.

---

15 SESHASAI, S. R. et al. Diabetes mellitus, fasting glucose, and risk of cause-specific death. *N Engl J Med.*, 364 (9), 3 mar. 2011, p. 829-41.

O CUSTO DA DIABETES

Quando o dinheiro entra na matemática da vida, a equação se torna muito mais difícil. Quem é diabético ou convive com a doença sabe dos imensos gastos que ela gera.

As complicações da diabetes hoje, no mundo, são responsáveis pela maior parte dos gastos em saúde pública e privada. Os dados são relevantes, pois essa doença afeta toda a sociedade.

Os gastos públicos para o tratamento da diabetes, que só aumentam com o passar dos anos, representam vultosas somas que poderiam ser investidas e aplicadas na prevenção e no tratamento de outras doenças.

Os custos com a diabetes também consomem uma grande parcela do orçamento familiar, comprometendo a qualidade de vida e levando ao endividamento, que pode aumentar mais se houver complicações, como amputações, insuficiência renal, infarto, AVC, cegueira e outras.

A diabetes é uma doença extrema que se aproxima sorrateiramente e tira a vida de milhares de pessoas anualmente. A soma de seus riscos aos tratamentos ineficazes exige uma solução urgente.

Conforme as conclusões de diversos estudos de elevado nível de evidência científica,[16] nosso objetivo nas páginas seguintes é controlar, superar e até reverter (em alguns casos) essa enfermidade tão perigosa.

Assim, convido você a conhecer a história do aluno do Programa Diabetes Controlada, Roberto Cunha, que em poucos dias controlou a doença e teve sua vida transformada:

Eu já tinha diabetes na família, minha mãe era diabética e acreditava-se que a diabetes era hereditária, e com relação a isso eu sempre procurei me cuidar.

Eu nasci em Caicó, no Rio Grande do Norte, em 1957. Em 1976, fui morar em Natal e, em 1982, em Brasília, onde estou até hoje.

Eu andava sempre ali nos limites da glicemia saudável, até que em 2000 esse número saiu totalmente do controle, passando 100mg/dl para 120mg/dl, depois 150mg/dl, 160mg/dl... E começou a subir.

Eu descobri minha condição por acaso, quando a glicemia já estava altíssima. A minha diabetes é totalmente silenciosa,

---

16 Reversing Type2 Diabetes. Diabetes.co.uk. Disponível em:
    <http://www.diabetes.co.uk/reversing-diabetes.html>. Acesso em: 9 mar. 2017.

ou seja, não sentia absolutamente qualquer sintoma. Então, em um exame clínico de rotina descobri que minha taxa de glicose estava em 380mg/dl. Foi assustador.

Quando a clínica médica descobriu que eu estava diabético, ela me encaminhou para o endocrinologista — essa foi minha primeira experiência negativa com a doença. Ele olhou para mim e disse que eu teria de tomar insulina.

Eu já estava assustado com a diabetes, então, o que menos queria era me tornar dependente da insulina. Então, recusei-me a esse tratamento, e o médico foi extremamente grosseiro comigo, recusando-se a qualquer procedimento e a me dar orientação.

Procurei outros especialistas e comecei a caminhar e praticar outras atividades físicas. As atividades me ajudaram bastante, então percebi que já era possível começar acontrolar a diabetes dessa maneira. No entanto, minha alimentação ainda aumentava minhas taxas de glicemia, que sempre subiam. Com o tempo, meus valores glicêmicos subiram e estacionaram, tornando mais difícil baixá-los.

Eu procurei diversos médicos buscando alternativas, tratamentos alternativos e homeopatia. Tornei-me vegetariano. Busquei uma série de possibilidades diferenciadas, acreditando sempre que teria uma solução, apesar de nunca saber qual seria.

Procurei, então, uma endocrinologista. Ela me passou um medicamento que, à época, custava em torno de 400 reais. Então, para ter acesso a esse medicamento, tornei-me associado ao laboratório, que me mandou um cartão e me concedeu, assim, 50% de desconto. E aquilo foi indigno!

Afinal, para mim, era uma situação muito cômoda para o laboratório já riquíssimo — com forte poder de pressão, forte poder de influência — extrair um percentual do meu salário todo mês. E minha glicose, mesmo com essa medicação cara, estava estabilizada no triplo do teto do que deveria estar.

No entanto, depois que conheci o projeto do dr. Rocha, comecei a me dar muito bem com ele e queria que todo mundo participasse também. Assim, quis passar a alimentação inteligente para os meus filhos, aquilo que eu considerava proibido, ou que não seria saudável, aquilo em que estava equivocado. Comecei a querer incluir essa nova forma de se cuidar na alimentação da minha família.

Concentrei-me exatamente nas orientações do dr. Rocha e, surpreendentemente, em apenas três dias minha glicose havia caído de 260mg/dl para 114mg/dl, algo que esperava para dali um, dois ou três meses.

A partir daí me empolguei com o tratamento e o segui rigorosamente. Hoje, minha diabetes está totalmente controlada, não tomo mais medicamentos e verifico meus níveis de glicemia diariamente. Com isso, adquiri muita segurança sobre o que posso comer e ou não.

Comecei a me animar muito, bastante mesmo, a ficar muito disposto e a ficar mais ativo. Antes do tratamento, praticar atividade física era extremamente penoso para mim, mas se tornou agradável. Eu comecei a ter muita vontade para caminhadas, e passei a andar de bicicleta e a ir para academia.

Então, foi uma mudança de vida completa! Além de estar muito mais tranquilo com relação a qualquer enfermidade que a diabetes pudesse me trazer, hoje sei que elas estão afastadas.

Tenho uma frase de referência na minha vida que diz que "ninguém passa por ninguém sem transformar alguma coisa", e o dr. Rocha transformou a minha doença em saúde, transformou a minha vida doente em uma vida saudável!

Obrigado, dr. Rocha.

CAPÍTULO 2
CONHECENDO O INIMIGO

Vivemos em um país com mais de 200 milhões de habitantes. A última pesquisa, de 2013, apontou 200,4 milhões de brasileiros, 2 milhões a mais que em 2012,[17] número que certamente aumentou até o momento em que este livro chegou às suas mãos.

Considerando essas estatísticas, o número de diabéticos atualmente diagnosticados é de 16 milhões.[18] Existe outra perspectiva bem mais assustadora: para cada diabético, há um portador que não sabe que tem a doença. Estamos falando, então, de um número que pode chegar a cerca de 26 milhões de diabéticos e pré-diabéticos, ou seja, 13 em cada 100 pessoas.

Pensar que ser um "pré-diabético" não é um problema a ser ponderado é um engano. Essas pessoas

---

17   The World Bank Group. Population. Disponível em: <http://data.worldbank.org/indicator/SP.POP.TOTL?locations=BR>. Acesso em: 9 mar. 2017.

18   OMS diz que mais de 16 milhões de brasileiros sofrem de diabetes. Agência Brasil, 6 abr. 2016. Disponível em: <http://agenciabrasil.ebc.com.br/geral/noticia/2016-04/oms-diz-que-mais-de-16-milhoes-de-brasileiros-sofrem-de-diabetes>. Acesso em: 9 mar. 2017.

correm até mais riscos do que os diabéticos, pois não fazem ideia da enfermidade que está à espreita. Vivem a vida normalmente, muitas vezes descuidando da alimentação e acreditando que está tudo bem. Precisamos ter em mente que a diabetes é uma doença silenciosa.

As estatísticas mundiais são estarrecedoras. Segundo dados da Organização Mundial de Saúde (OMS), quase 422 milhões de pessoas ao redor do planeta têm diabetes,[19] número que vem crescendo de maneira alarmante. Essa doença é tão grave que a OMS já a classifica como epidemia.

Se ainda não está convencido da gravidade do quadro, informo outro dado assustador: a cada ano, 7 milhões de indivíduos entram nessa lista.[20] Podemos imaginar o drama dessas pessoas: o tipo de ajuda de que precisarão, os prejuízos financeiros que enfrentarão e todos os problemas que envolvem uma doença tão perversa.

19 Número de diabéticos chega a 400 milhões no mundo. *Folha de S.Paulo*, 7 abr. 2016. Disponível em: <http://www1.folha.uol.com.br/equilibrioesaude/2016/04/1758341-numero-de-diabeticos-chega-a-400-milhoes-no-mundo.shtml>. Acesso em: 9 mar. 2017.

20 Vamos controlar o diabetes agora!!! SuperEsporte. Disponível em: <http://superesporte10.com.br/site/?p=3891>. Acesso em: 9 mar. 2017.

Gostaria de lhe apresentar outro dado, para que entenda o raciocínio: 90% dos diabéticos são obesos ou estão em situação de sobrepeso.[21]

Além disso, existe um grupo específico de diabéticos que sofre muito com a doença: as crianças.[22] No Brasil, há mais de 1 milhão de crianças diagnosticadas com diabetes.

Você que é pai, mãe ou responsável por uma criança precisa entender agora a urgência do que vou lhe dizer: a chance de seu filho ser ou se tornar diabético é muito alta e você pode, sem saber, estar contribuindo para isso.

Infelizmente, isso acontece quando você libera o carrinho de compras (e abre as portas de sua casa) para doces, balas, refrigerantes ou sucos de caixinha e outros alimentos que só prejudicam a saúde de seus filhos e familiares.

---

21 PINHEIRO, Pedro. Diabetes tipo 2 – causas e fatores de risco. MD.Saúde, 20 jul. 2016. Disponível em: <http://www.mdsaude.com/2012/06/diabetes-tipo-2-causas.html>. Acesso em: 9 mar. 2017.

22 PIO, Augusto. Diabetes já atinge um milhão de crianças no Brasil. Portal Uai, 5 out. 2014. Disponível em: <http://www.uai.com.br/app/noticia/saude/2014/10/05/noticias-saude,191445/diabetes-ja-atinge-um-milhao-de-criancas-no-brasil.shtml>. Acesso em: 9 mar. 2017.

Todos nós estamos suscetíveis a esses produtos, mas há uma diferença muito grande em relação às crianças: elas não têm discernimento para fazer boas escolhas. São diversas as situações em que as crianças ficam vulneráveis ao consumo desregrado de alimentos ricos em carboidratos refinados (pães, massas e doces).

Quando você vai às compras e leva seu filho ao supermercado, observe a quantidade de produtos expostos nas prateleiras de forma tentadora atingindo, em cheio, o público infantil. São doces, chocolates, salgadinhos, refrigerantes, bolachas, balas, cereais adoçados, sucos industrializados em embalagens atrativas, coloridas e representados por super-heróis e personagens infantis que lhes transmitem uma proposta irresistível.

Com medo de decepcioná-los ou vencidos pela insistência, os pais cedem na maioria das vezes e compram esses verdadeiros venenos que certamente lhes trarão graves consequências para a saúde.

Outra forma de exposição impiedosa são os meios de comunicação: desenhos animados, propagandas de televisão, internet, games apresentam um vasto cardápio de novos produtos que associam o alimento anunciado com felicidade, alegria e bem-estar. As crianças são a isca perfeita para essa indústria, que conhece seus anseios e se aproveita de suas fragilidades.

As crianças também ficam muito expostas em locais sem a supervisão dos pais: o ambiente escolar não oferece opções de cardápios saudáveis e as merendas que levam de casa são, devido à praticidade, geralmente industrializadas, piorando ainda mais o cenário.

Já as festas infantis em geral são recheadas de aperitivos e sobremesas, que são consumidos em grande quantidade. E as viagens de férias, feriados prolongados, as idas aos shoppings centers e as visitas a casas de colegas também trazem o mesmo perigo, uma vez que são situações mais permissivas.

Outro fator alarmante é o desconhecimento de que alguns alimentos só parecem ser saudáveis, mas na verdade não são. Esses produtos apresentam açúcares "escondidos" e usam nomenclaturas que o público comum não domina. Eles estão cada vez mais presentes no mercado e têm um forte apelo para seus supostos benefícios, mas, na realidade, são uma fraude. É importante saber que o açúcar pode estar onde menos esperamos, por isso os pais também ficam à mercê dessa falta de informação.

Felizmente, existe saída para o problema e está em suas mãos. Mais adiante, você entenderá como cada um desses alimentos é prejudicial à saúde de seus filhos e de sua família e saberá qual a melhor forma de escolher como consumi-los e em quais quantidades.

Minha missão, como educador de saúde, é trazer a verdade, o que transformará significativamente sua vida, sua saúde e de toda a sua família. Assim, espero, com esta obra, impactar várias famílias, disseminando esse conhecimento por todo o país e contribuindo para uma nação mais saudável.

Inegavelmente, há uma epidemia de obesidade e diabetes no Brasil e a chave para a mudança está na educação alimentar.

Nosso corpo é um organismo perfeito, criado de uma maneira que até hoje intriga estudiosos e cientistas. Ele existe em perfeita harmonia com a natureza e com tudo o que há à nossa volta, mas é preciso saber como melhorar nossa alimentação e nosso estilo de vida para mantê-lo saudável.

E essa busca por conhecimento tem se tornado cada vez mais desafiadora, visto que as informações nutricionais nos rótulos dos alimentos são colocadas em letras miúdas e usam vocabulário científico, dificultando a nossa compreensão.

Quando o diabético vai ao médico, a situação é desanimadora. A descoberta da doença é seguida por uma prescrição quase automática de medicação. Essa ação quase robótica sentencia o paciente a um quadro de desesperança, pois para ele a única opção serão os medicamentos e uma vida de restrições.

As orientações nutricionais que os diabéticos recebem, e constituem parte fundamental do tratamento, já estão ultrapassadas e baseiam-se na retrógrada pirâmide alimentar, criada em 1970.

Infelizmente, uma boa parte dos profissionais da saúde está desatualizada sobre a alimentação adequada para o diabético e recomenda 50% a 60% de carboidratos em sua base, inclusive carboidratos refinados, alimentos integrais, *lights* e *diets*. Com isso, ocorre o aumento da glicose, levando a prescrições de doses cada vez maiores de medicamentos para baixá-la.

No entanto, existem outros fatores que influenciam também no agravamento da diabetes, como o estresse e o sedentarismo, mas a alimentação inadequada é o principal deles.

Em resumo, o tratamento atual do diabético consiste em medicamentos orais, administração de insulina e orientações nutricionais equivocadas.

Em casos de diabetes tipo 1, a insulina não é mais produzida pelo pâncreas, e assim é necessário administrá-la por via injetável. Na diabetes tipo 2, são prescritos vários medicamentos que podem ser administrados por via oral e, em casos específicos, em que o pâncreas não produz insulina suficiente, é também prescrita a administração de insulina por via injetável.

Quando o diabético segue uma alimentação adequada, consegue reduzir ou até mesmo retirar os medicamentos. Assim, para entender melhor como a alimentação inteligente pode transformar a vida do diabético, apresento-lhe o depoimento de alguém que enfrentou as adversidades causadas pela doença, mas se comprometeu com esse novo estilo de vida e conseguiu resgatar a saúde.

Leia com muito carinho e atenção as palavras de Marli:

Eu já sabia que essa era uma doença brava, mas muitos médicos me enganaram. Um deles me falou que eu deveria entender que diabetes não tem cura. Diabetes é fatal, e eu acabaria sentada em uma cadeira de rodas, precisaria amputar as minhas pernas, e chegaria até a sofrer uma paralisia facial. Nem consigo explicar direito o número de coisas ruins que foram faladas. Algum tempo depois, fui atendida por outra médica, que repetiu exatamente tudo o que havia sido dito.

Há mais de 20 anos, eu fiquei muito mal. Não tinha forças para trabalhar, sequer para caminhar. Sentia um peso imenso nas pernas, e havia uma rua em meu caminho, uma rampa, que dificultava tudo, não tinha coragem nem de subir um degrau, de tanto peso que sentia. Não aguentava mais, e decidi ir a outro médico na crença de que poderia ser reumatismo ou algo afim. Depois de um exame de sangue, ele descobriu que era diabetes. Ele me passou uma lista imensa de medicamentos, de regimes, de "não come isso, aquilo" e tantas coisas... E nada adiantou. Mas eu nunca parei de trabalhar, ia ministrar. Tinha lugares em que eu ministrava debruçada no púlpito; duas pessoas me ajudavam e me agarravam, uma de cada lado, *para subir num degrauzinho simples e eu me debruçava para falar por mais de uma hora.*

Com o passar do tempo, minhas forças se esvaíram. Não conseguia andar nem fazer trabalho nenhum. Já me faltava coragem até mesmo para comer; para me alimentar de alguma forma.

Em determinando momento, viajei para Moçambique e imaginei que Deus tinha preparado essa viagem porque minha carreira estava finalizada e não havia solução, já que os remédios não ajudavam.

Com isso em mente, chamei uma irmã e comecei a doar minhas coisas: bolsas, sapatos, muitas roupas. Pensei que eu "ia", não é? Continuava com os medicamentos e nada fazia diferença. Isso tudo durou 20 anos, e era como se não existisse mais medicamento no mundo para ser receitado. A partir de certo momento, o pâncreas já não funcionava e nada baixava a minha glicose. Eu ficava deitada em minha cama, sem forças, passava por uma dificuldade imensa, para ir do quarto até a cozinha.

No entanto, um dia, ao pesquisar na internet, encontrei o dr. Patrick Rocha. Um pastor tentou me convencer de não me aproximar dele, porque jogaria dinheiro fora, que ele poderia ser um charlatão. Eu já havia "jogado" tanto dinheiro fora, com outros médicos e remédios, alguns trazidos até dos Estados Unidos, que não me importei.

Na primeira semana de tratamento, comecei a sentir os efeitos. Além disso, comecei a ser chamada de louca, por comer carne de porco e ovos basicamente, já que isso poderia aumentar o colesterol.

Eu sigo a alimentação como o dr. Rocha me ensinou; me mantenho próxima de alimentos amigos e melhores amigos, e consegui retirar os medicamentos. Minha glicose diminuiu, minha pressão baixou e deixei de tomar mais de 20 comprimidos por dia.

Hoje, graças a Deus, durmo bem e tenho disposição para trabalhar. Nem mesmo preciso chamar ninguém para limpar minha casa: acordo às 5 horas da manhã e coloco tudo em ordem antes mesmo de tomar o meu café.

Eu acreditei, com todo o meu coração, no dr. Rocha, porque logo na primeira semana melhorei. Além disso, notei que as pessoas ao meu redor estavam felizes, que meus irmãos estavam alegres em me ver com saúde. Tenho falado do dr. Rocha para muitas pessoas com um aviso muito importante: é só alimento, não é remédio.

Podem chamá-lo de doido, mas fica o aviso: a cura é aprovada.

Com isso, agradeço a Deus todos os dias e oro pelo doutor, para que ele continue recebendo a sabedoria divina e mantenha a mente iluminada para ajudar as pessoas. Deus o tem usado, que ele tenha muita saúde e sabedoria para continuar este trabalho, ajudando pessoas que, como eu, estavam sem nenhuma esperança.

CAPÍTULO 3

VERDADES X MITOS

Existem muitos mitos sobre a diabetes que estão tão enraizados na sociedade, que se tornam verdades. Eles são disseminados pela cultura popular e por informações desatualizadas dos profissionais de saúde. Neste capítulo, iremos desmistificar cada um deles, abordando-os pontualmente, para que você, amigo, com base na boa ciência, continue sua caminhada.

O MITO DA DIABETES CONTROLADA ATRAVÉS DOS MEDICAMENTOS E DIETA COM ALTO TEOR DE CARBOIDRATOS

Aqui o mito é de que, com o uso de hipoglicemiantes orais, como metformina, glibenclamida (sulfonilureias) e outros medicamentos, associado a uma dieta com 50% a 60% de carboidratos, a diabetes pode ser controlada.

Esse tratamento foca em diminuir a glicose (açúcar), seja bloqueando sua produção no fígado, seja tentando melhorar a resistência da insulina nas células, seja bloqueando a produção de insulina no pâncreas.

A verdade é que, com a alimentação rica em carboidratos, há o aumento de glicose e insulina no sangue. O resultado é o círculo vicioso: alimentação errada aumenta a glicose e insulina, com consequente aumento dos medicamentos, o que, com o passar do tempo, leva às complicações da diabetes.

Através da alimentação inteligente, que já é usada na Suécia e no Brasil (Programa Diabetes Controlada), a doença pode ser controlada. Essa alimentação é pobre em carboidratos (açúcares), rica em proteínas de alto valor biológico e em gorduras saudáveis.

A diabetes precisa ser controlada por meio da boa alimentação e medicada o mínimo possível, para evitar suas complicações. A diabetes tipo 1 precisa de insulina, porque o pâncreas, por razões desconhecidas, parou de produzi-la. Com a alimentação de qualidade, a aplicação de insulina poderá ser reduzida, e a diabetes tipo 2 pode ser até revertida.

No entanto, atenção, a medicação será reduzida à medida que os níveis de glicose no sangue diminuírem naturalmente. O médico que o acompanha fará isso.

O MITO DA DIABETES COMO UMA SENTENÇA

Aqui, iremos analisar o mito de que a diabetes é uma sentença condenatória, um caminho sem volta.

Geralmente um paciente que apresenta sintomas típicos da diabetes, como sede, cansaço, boca seca, alta frequência urinária, fome em excesso, tonturas, após realizar todos os exames e receber o diagnóstico, tem em seguida um sentimento de impotência e desesperança.

O diabético acredita que sua condição irá se arrastar pelo resto da vida, e que terá de passar o restante dos dias à base de medicamentos orais e injeções de insulina, sem sentir prazer em se alimentar, com menos qualidade sexual e outras mudanças significativas na rotina.

Outro medo de quem sofre da doença é de sofrer complicações, como amputações, cegueira, impotência sexual, insuficiência renal, AVC e infarto, os quais lhe trarão mais sofrimento, limitações, dependência e até a morte.

A verdade é que a diabetes não precisa ser necessariamente uma sentença condenatória, se for controlada. Com o tratamento que apresentarei neste livro — ou seja, com uma alimentação correta e atividade física —, a expectativa é de que o diabético tipo 1 consiga diminuir o uso de insulina, e o diabético tipo 2, as medicações ou consiga até reverter a doença. A partir do momento que se comprometer com o programa, essa verdade se tornará realidade em sua vida.

O MITO DA FORÇA DE VONTADE COMO FATOR PRINCIPAL NO CONTROLE DA DIABETES

No mito da força de vontade, diz-se que basta querer algo para conseguir resolvê-lo. Sob essa ótica, bastaria que o diabético, com opinião, mantivesse os níveis de glicose e insulina regulados para ficar bem. Assim, seguiria a dieta convencional, alimentando-se de três em três horas, tomaria os medicamentos prescritos e a doença estaria controlada.

A verdade é que a força de vontade é imprescindível, mas, quando a informação está errada e a alimentação preconizada é incorreta, o diabético não alcançará os resultados almejados e sua determinação não resistirá. Afinal, nesses casos, a alimentação é constituída de altos níveis de carboidratos e baixos níveis de gordura, não sacia e eleva a glicose e a insulina. Assim, o resultado é o círculo vicioso da alimentação incorreta, aumento de glicose e insulina e consequente aumento dos medicamentos. Somente a força de vontade aliada à alimentação correta e atividade física levará a bons resultados.

O MITO DE QUE COMER DE TRÊS EM TRÊS HORAS É O IDEAL

Esse mito é uma orientação nutricional vigente, realizada pelos profissionais de saúde, que afirmam que se o diabético permanecer muitas horas sem se alimentar haverá elevada queda na glicemia.

A grande questão aqui é que essa recomendação eleva os níveis de glicose e insulina provocando fome em curtos intervalos de tempo, o que obriga o diabético a se alimentar com frequência.

No entanto, na verdade se a alimentação se basear em proteínas de alto valor biológico, gorduras saudáveis e carboidratos mais fibrosos, como hortaliças, haverá saciedade, nutrição e controle dos níveis de glicose e insulina. As células ficarão bem nutridas, haverá sensação de bem-estar, com mais energia, e a saciedade durará por várias horas, aumentando os intervalos entre as refeições.

Sobre comer de três em três horas, se a vontade existir, o diabético poderá se alimentar, contanto que consuma os alimentos corretos. Contudo, saiba que, com a alimentação adequada, não é preciso se tornar escravo do relógio. O corpo sabe quando deve se alimentar, assim como quando deve dormir.

O MITO DO COLESTEROL ALTO COMO INIMIGO

Um dos maiores mitos da história da nutrição é a ideia de que o colesterol alto faz mal para a saúde e entope veias e artérias, causando doenças cardiovasculares (infarto e AVC). Esse mito é mantido vivo porque assim as indústrias continuam fabricando medicamentos para baixá-lo.

As medicações tomadas por milhões de pessoas ao redor do mundo para baixar o colesterol, as estatinas, geram efeitos colaterais, como fraqueza, perda de memória, cansaço e até o desenvolvimento da diabetes. O estudo foi realizado em 2001[23] e, mais de uma década depois, ainda somos reféns desse mito.

A verdade é que o colesterol é fundamental para as membranas das células, para a saúde de células como os neurônios e para a produção de todos os hormônios, inclusive os sexuais (a progesterona, a testosterona e o estrógeno). Sem a quantidade adequada de colesterol, não há boa saúde.

Na realidade, não importa se o colesterol total estiver alto. O importante é que a relação entre o colesterol total e o HDL, ou seja, que o resultado da divisão de um pelo outro esteja dentro dos limites. É os triglicerídeos o verdadeiro vilão.

Existem diversos estudos que estabelecem relações de causa e efeito quanto ao colesterol[24] e con-

23 AIMAN, U; NAJMI, A.; KHAN, R.A. Statin induced diabetes and its clinical implications. *J PharmacolPharmacother*, v. 5, n. 3, jul.-set. 2014, p. 181-185. Disponível em: <https://www.ncbi.nlm.nih.gov/pmc/articles/PMC4156828/>. Acesso em: 9 mar. 2017.

24 HOOPER, L.; MARTIN, N.; ABDELHAMID, A.; DAVEY SMITH, G. Reduction in

cluem que não há ligação entre o colesterol alto e as doenças cardiovasculares.

O MITO DA CONTAGEM DE CALORIAS PARA REDUÇÃO DE PESO E CONTROLE DA DIABETES

Este é o mito de que as calorias que consumimos devem ser comparadas com as calorias que queimamos quando realizamos diversas funções.

Há uma tabela de calorias de cada porção de alimento e de quanto o corpo queima na realização das diversas tarefas: dormir, andar, correr, estudar, varrer etc.

Na verdade, alimentos com o mesmo número de calorias comportam-se de forma diferente no nosso corpo. Se compararmos 375 calorias de um copo de refrigerante a 375 calorias de uma porção de brócolis, veremos que a bebida contém cerca de 90 g de açúcar puro (glicose e frutose) que, na corrente sanguínea, aumenta a insulina, que rapidamente coloca o açúcar

saturated fat intake for cardiovascular disease. *Cochrane DatabaseSysRev*, v. 6, 10 jun. 2016. Disponível em: <https://www.ncbi.nlm.nih.gov/pubmed/26068959>. Acesso em: 9 mar. 2017.

dentro das células, uma vez que, como vimos, o açúcar em excesso no sangue é tóxico, lesa as células e os tecidos do corpo.

Parte desse açúcar é a frutose. Ela vai direto ao fígado e se transforma em triglicerídeos (gordura). Além disso, a frutose migra para o centro da fome desregulando-o e gerando o que chamo de ciclos de fome. Ou seja, você se sente faminto a cada duas ou três horas, ganha peso e, a longo prazo, ocorre resistência à insulina, que leva à diabetes.

Agora, vamos analisar as 375 calorias da porção de brócolis. Esse vegetal é um carboidrato fibroso, rico em fibras, nutrientes e água. Ele é absorvido lentamente no intestino, ajuda no seu funcionamento e traz saciedade. Como a absorção é lenta e esse alimento é fibroso, não elevará a glicose, mas a manterá em níveis normais. Desse modo, não haverá ciclos de fome, e o corpo não se inflamará nem ganhará peso.

O que podemos concluir aqui é que a mesma quantidade de calorias pode trazer benefícios ou malefícios ao seu corpo.

O MITO DA NECESSIDADE DE ALTO CONSUMO DE CARBOIDRATOS

O mito da necessidade de alto consumo de carboidratos surgiu após a criação da pirâmide alimentar, na década de 1970. Essa categoria de alimento se tornou a base da pirâmide e a principal fonte de alimentação nos Estados Unidos, e assim foi propagada para o resto do mundo.

No entanto, poucos sabem que a pirâmide foi criada por jornalistas e políticos norte-americanos, e não por cientistas, médicos ou nutricionistas, que ficaram chocados com a novidade à época. Afinal, alimentos naturais ricos em gorduras (manteiga e gordura de carne animal) passaram a ser demonizados. Sua implantação, nos anos 1980, gerou um súbito aumento nos casos de diabetes e obesidade.

A verdade é que o alto consumo de carboidratos traz prejuízos para a saúde. Nossos antepassados, há cerca de 40 anos, viviam muito bem com alimentos naturais, com baixo teor de carboidratos. O trigo era diferente do que comemos hoje, ou seja, apresentava menos açúcar e glúten.

Naturalmente, nosso corpo é mais bem adaptado a alimentos como hortaliças, couve-flor, brócolis, mandioca, beterraba, cenoura e tudo que vem da terra. Os carboidratos refinados (trigo e açúcar), que são vendidos como saudáveis, contribuem para o adoecimento de milhões de pessoas.

O MITO DE QUE ALIMENTOS *LIGHTS*, *DIETS* E ZERO SÃO SAUDÁVEIS

Aqui temos o mito de que o consumo de alimentos *lights*, *diets* e zero são fortes aliados no controle da obesidade e da diabetes.

A verdade é que a indústria desses produtos engana o consumidor com alimentos ricos em açúcares escondidos, que causam obesidade, elevam a glicemia e descompensam o diabético. Os valores são exorbitantes e a variedade é grande: barras de cereais, torradas, biscoitos, refrigerantes, sucos, derivados do leite, doces etc.

Esses alimentos provocam doenças e apresentam dois sérios problemas: no processo de industrialização é removida a gordura natural do alimento e acrescentados açúcares industrializados e conservantes. Ou seja, o que é natural sai e o que é industrializado entra.

Uma simples pesquisa das informações nutricionais contidas nos rótulos desses alimentos mostrará muito açúcar escondido, muitos conservantes e uma série de toxinas que envenenam e intoxicam o corpo.

O MITO DE QUE CEREAIS INTEGRAIS SÃO SAUDÁVEIS

Este é o mito de que cereais integrais colaboram para a redução do peso e controle da diabetes, apresentando-se como alimentos saudáveis. Profissionais de saúde aconselham sua ingestão, como grãos integrais (granola, trigo, aveia, arroz e outros).

A verdade é que esses alimentos não são mais os mesmos que nossos antepassados consumiam, mas são geneticamente modificados. Eles possuem alto teor de açúcar, aumentam a glicose e o pico de insulina, o que provoca fome e nova ingestão de alimentos. Esse quadro ocasiona um infindável círculo vicioso, que, consequentemente, aumentará as dosagens de medicamentos.

E não podemos deixar de falar que existe ainda a versão de cereais integrais *light*, com açúcar disfarçado.

O MITO DE QUE O DIABÉTICO DEVE CONSUMIR MUITAS FRUTAS

A ideia aqui é de que o diabético deve consumir muitas frutas, sem levar em conta a quantidade de frutose.

Na verdade, além do açúcar das frutas, a frutose, é preciso ficar atento ao índice glicêmico de cada uma. Esse índice diz respeito à velocidade com que um alimento libera glicose no sangue. Assim, existem frutas de alto índice glicêmico, que devem ser evitadas para que a glicose e a insulina não sejam elevadas no organismo.

Por outro lado, existem frutas de menor índice glicêmico, que podem ser consumidas, desde que observadas as quantidades adequadas: frutas vermelhas e roxas (morangos, framboesas, mirtilos, açaí, amoras), acerolas e limões, por exemplo, são excelentes. Já as melhores e indispensáveis frutas para a saúde do diabético são o coco e o abacate, ricas em gorduras saudáveis, que promovem a saciedade.

O MITO DO SAL COMO INIMIGO

Sempre ouvimos dizer que o consumo do sal aumenta a pressão arterial e pode causar doenças cardiovasculares, como infarto e AVC. No entanto, apesar de ser considerado um vilão para a nossa saúde, é importante saber que o sal grosso moído (sal integral) e o sal rosa devem ser consumidos, pois contêm minerais de que o corpo necessita.

Apenas o sal refinado deve ser evitado, pois, ao passar pelo processo de branqueamento, perde vários minerais importantes, tornando-o pobre e repleto de substâncias químicas tóxicas.

CAPÍTULO 4
A REVOLUÇÃO ALIMENTAR NA SUÉCIA

A pioneira da revolução alimentar na Suécia foi a dra. Annika Dahlqvist, especialista em Medicina Geral e estudiosa do LowCarb High Fat (LCHF). Em 2004 ela descobriu que a alimentação com níveis baixos de carboidratos livrou-a da obesidade e de outros problemas de saúde.

Aos 55 anos, Dahlqvist sofria com gastrite, enterite, fibromialgia, síndrome de fadiga crônica, insônia, ronco e bexiga irritada. Todas essas doenças desapareceram rapidamente, com uma alimentação com baixo teor de carboidratos e altos níveis de gordura natural. Além da melhora da saúde, ela também emagreceu 20 quilos, um a cada semana.

Antes disso, sua filha havia participado de um experimento em dietas e seu grupo foi o mais bem-sucedido com uma dieta baixa em carboidratos. Annika adotou a mesma dieta, mas sentiu-se muito fraca e teve picos de fome entre as refeições.

Então, leu muitos artigos na internet, e concluiu que deveria acrescentar à sua dieta gorduras saturadas (manteiga e gorduras boas). Em resumo: ela comeu comida saborosa, sentiu-se saciada, perdeu o desejo de consumir doces e livrou-se, assim, da obesidade e das doenças que a afligiam.

Após essa experiência pessoal, ela aplicou o plano de alimentação que havia elaborado com seus pacientes e obteve um resultado fantástico: eles perderam peso, sentiram-se bem e livraram-se de vários medicamentos. A partir daí, Annika começou a escrever vários artigos sobre o assunto e criou um blog sobre o estilo de vida LCHF para espalhar a mensagem: "Se você é obeso e/ou tem diabetes tipo 2, deve comer alimento natural real".

No entanto, ela encontrou muitos oponentes. Em 2005 dois nutricionistas a denunciaram ao Conselho Nacional Sueco de Saúde e Bem-Estar, mas em 2008 ela teve uma ótima resposta, quando o conselho aprovou a dieta: "*[...] dietas baixas em carboidratos podem hoje ser vistas como compatíveis com a evidência científica e as melhores práticas para a redução do peso, para pacientes com excesso de peso ou tipo 2 de diabetes, como um número de estudos mostraram o efeito a curto prazo e nenhuma evidência do dano emergiu [...]".*[25]

Anikka realizou ainda palestras em todo o país sobre LCHF e escreveu vários livros para promover esse estilo de vida e mostrar que as estatinas (drogas para baixar o colesterol), muitas vezes fazem mais mal do que bem. Além disso, escreveu muitos textos também em seu blog: http://annikadahlqvist.com/.

Apesar dos frutos que colheu ao salvar milhares de vidas, antagonistas como Big Food e Big Pharma e profissionais de nutrição que defendem uma dieta rica em carboidratos e baixo teor de gordura, que prevaleceu por 40 anos, oferecem dura oposição. Hoje, a mensagem LCHF sobrevive graças aos excelentes resultados obtidos e aos estudos posteriores.

A Suécia foi pioneira na mudança do tratamento da diabetes e obesidade, em 2011. Foi o primeiro país a rejeitar o dogma popular da dieta de baixa gordura, apostando no aconselhamento nutricional rico em gorduras saudáveis e de baixo teor de carboidrato. Isso

---

25 Trecho extraído de: <http://foodandhealthrevolution.com/dr-annika-dahl qvist-md-the-first-lchf-pioneer/>, em tradução livre. Acesso em: 15 mar. 2017.

aconteceu quando o Conselho Sueco de Avaliação de Tecnologias em Saúde (cuja sigla, no idioma local, é SBU) publicou um estudo de dois anos que reunia 16 mil análises realizadas desde 31 de maio de 2013.[26] O país adotou o parecer da pioneira dessa alimentação, a dra. Annika Dahlqvist e de outros pesquisadores.

O dr. Andreas Eenfeldt, responsável por um dos veículos de saúde mais famosos da Escandinávia, o *Diet Doctor*, enfatiza algumas partes importantíssimas desse compêndio de estudos.[27]

Em geral, a alimentação de baixo carboidrato leva a um aumento do HDL (considerado o colesterol bom), sem efeito no LDL de partículas pequenas (considerado o colesterol ruim). Esses estudos também mostram que a alimentação mais rigorosamente baixa em carboidratos (adotada na Suécia) melhora os níveis de glicose para indivíduos com obesidade e diabetes e diminui os níveis de triglicerídeos.

26 SHILHAVY, Brian. Suécia torna-se a primeira nação ocidental a rejeitar a dieta de baixo teor de gordura a favor da nutrição low-carb e alto teor de gordura. Traduzido por Essentia Pharma. *Health Impact News Editor*, 18 out. 2013. Disponível em: <http://www.pharmaciaessentia.com.br/blog/suecia-dietalowcarb>. Acesso em: 9 mar. 2017.

27 EENFELDT, A. Swedish Expert Committee: A Low-Carb Diet Most Effective for Weight Loss. *Diet Doctor*, 23 set. 2013. Disponível em: <https://www.dietdoctor.com/swedish-expert-committee-low-carb-diet-effective-weight-loss>. Acesso em: 9 mar. 2017.

Os estudos defendem que gorduras saturadas (manteiga, azeite, creme de leite e bacon) são alimentos benéficos. Na verdade, as gorduras são aliadas daqueles que desejam perder peso, pois dão saciedade. Ao contrário do que se acreditava, não há conexão real entre uma grande ingestão de gorduras e doenças cardiovasculares.

O relatório publicado e intitulado "Tratamento dietético para obesidade"[28] derrubou orientações dietéticas convencionais para pessoas obesas ou diabéticas. Foi uma medida que enfrentou um sistema de saúde retrógrado, que há décadas aconselha publicamente as pessoas a evitarem gordura, inclusive a saturada. A orientação seria uma dieta com baixo teor de gordura e maior de carboidratos. Os estudos revolucionários defendem um baixo teor de carboidratos com uma dieta rica em gorduras para combater a obesidade e controlar a diabetes.

Um dos membros da comissão foi o professor Fredrik Nyström, da Universidade de Linköping (tam-

---

28 Swedish Council on Health Technology Assessment, "Dietary treatment of Obesity", acessado em março 2017. http://www.sbu.se/globalassets/publikationer/content1/1/dietary_treatment_obesity.pdf

bém na Suécia), grande crítico da dieta de baixa gordura e imenso defensor dos benefícios da gordura saturada, como manteiga, creme, ovos caipiras e bacon. Nyström afirma:

> Eu tenho trabalhado com isso por tanto tempo. É ótimo ter esse relatório científico e ver que o ceticismo, entre meus colegas, desapareceu ao longo do estudo em relação às dietas de baixo carboidrato. Quando todos os estudos científicos recentes ficam alinhados, o resultado é indiscutível: o medo profundo da gordura é completamente infundado. Você não engorda através de alimentos gordurosos, assim como você não fica com aterosclerose por causa de cálcio ou verde por causa de vegetais verdes.[29]

A defesa de Nyström para essa alimentação tem a ver com a busca de níveis saudáveis de insulina, lipídios no sangue e bom colesterol, por meio do consumo reduzido de alimentos ricos em carboidratos. A ideia é diminuir e se possível eliminar açúcar, batatas,

29 SHILHAVY, Brian. Suécia torna-se a primeira nação ocidental a rejeitar a dieta de baixo teor de gordura a favor da nutrição low-carb e alto teor de gordura. Traduzido por Essentia Pharma. *Health Impact News Editor*, 18 out. 2013. Disponível em: <http://www.pharmaciaessentia.com.br/blog/suecia-dietalowcarb>. Acesso em: 9 mar. 2017.

massas, arroz e derivados do trigo. Além disso, o ideal seria consumir azeite, nozes, manteiga, creme de leite, carnes mais gordas, ovos e óleo de peixe.

Ainda de acordo com o professor, a ingestão de batatas equivale à ingestão de doces, graças às unidades de glicose em cadeia que se convertem em açúcar no trato gastrointestinal, elevando a glicose e a insulina rapidamente.

Textos científicos sobre o perigo do carboidrato refinado e todos os benefícios de gorduras saudáveis não são raros e estão disponíveis há décadas em todo o mundo. Esse estudo na Suécia, porém, teve uma motivação a mais: muitas pessoas já seguiam a dieta. No país, a estimativa, hoje, é de apenas 10% de obesidade na população.[30]

O país foi o primeiro a adotar, como política pública de saúde, esse programa alimentar como principal maneira de tratar os diabéticos. Os resultados são tão surpreendentes que muitas pessoas conseguiram controlar a diabetes tipo 2 com pouca medicação ou até conse-

---

30 Obesity in Sweden. *European Association for the Study of Obesity*. Disponível em: <easo.org/media-portal/country-spotlight/obesity-in-sweden/>. Acesso em: 9 mar. 2017.

guiram retirá-la, em alguns casos. Já os diabéticos tipo 1 puderam reduzir expressivamente o uso de insulina. Além disso, ainda houve melhora na qualidade de vida e na prevenção das complicações da doença.

Amigo leitor, no próximo capítulo você aprenderá sobre todos os tipos de alimentos e poderá fazer a sua própria revolução alimentar.

Venha comigo!

CAPÍTULO 5

OS TIPOS DE ALIMENTOS

Este capítulo é o mais importante do livro, pois é a chave para o controle da diabetes por meio da alimentação inteligente. Amigo leitor, peço-lhe agora que pegue um caderno, uma caneta e anote as informações de cada alimento que vou lhe apresentar nas próximas páginas.

Repito: leia, releia, anote e estude cada alimento que veremos juntos. Como já dizia Hipócrates, o pai da medicina ocidental, "que seu alimento seja seu remédio, e que seu remédio seja seu alimento". Desse modo, seu alimento pode ser remédio ou veneno, principalmente para você que é diabético, seja tipo 1, seja tipo 2.

Desde que comecei a aplicar essa alimentação, a princípio no consultório médico e também numa comunidade, onde trabalhei no litoral do Ceará, os resultados foram surpreendentes. Em poucas semanas houve uma diminuição incrível da medicação desses pacientes e em alguns casos ela foi retirada.

O resultado que obtive com a alimentação inteligente nunca havia atingido antes, mesmo em 14 anos prescrevendo medicações e a alimentação recomendada pelas entidades de saúde — aliás, uma alimentação errada, que me obrigava a aumentar as doses dos medicamentos. Assim, restava aguardar as complicações que surgiam: cegueira, amputações, infartos, AVC, insuficiência renal, impotência, depressão. Esse quadro me causava muita tristeza, pois como médico sempre prezei pela saúde de meus pacientes.

A verdade é que medicamentos e uma alimentação inadequada, rica em carboidratos refinados e açúcares, não funcionam. É também ineficaz proibir alimentos ricos em gorduras saudáveis e proteínas de alto valor biológico, que são a chave para o controle da diabetes. Afinal, como já vimos, esse programa alimentar, que tem sido uma verdadeira revolução, já é adotado na Suécia e, mais recentemente, o Canadá já está a caminho de adotar esta alimentação.

Você, amigo leitor, agora tem o privilégio de conhecer em primeira mão quais são esses alimentos tão valiosos que irão lhe proporcionar uma saúde plena nas próximas semanas. A minha maior motivação é trazer saúde para o maior número possível de pessoas por meio de treinamentos na internet e, também, com este livro que chegou às suas mãos. Essa é a minha missão de vida como médico e educador em saúde.

Para facilitar sua compreensão, dividi os alimentos do programa em quatro tipos: *Inimigos, colegas, amigos* e *melhores amigos*. Você entenderá de forma simples o que deve ter na sua geladeira e despensa e o que nunca mais levará para casa. Certos alimentos poderão fazer visitas esporádicas, desde que sua glicemia esteja controlada.

Como já falei e repito, meu compromisso com você, leitor, é tirá-lo do estado atual, repleto de medicamentos e sofrimento, e levá-lo rumo a uma saúde plena, com informação verdadeira que possibilitará, em poucas semanas, reduzir as medicações (e em alguns casos até retirá-las completamente). O que importa, aqui, é a caminhada na direção e na velocidade certa, ou seja, no sentido de uma vida saudável, feliz e livre das complicações da diabetes.

OS ALIMENTOS

INIMIGOS

Vamos conversar agora sobre os alimentos que você irá banir da sua vida. Pode parecer radical, mas eles predispõem à obesidade e diabetes tipo 2, pois pioram muito a sua glicemia e são responsáveis pela maioria das complicações de quem é diabético. São também responsáveis por inúmeras hospitalizações devido a crises de hiperglicemia que podem causar.

A principal questão com esses alimentos é que infelizmente muitos deles são recomendados por profissionais de saúde e entidades da área, que insistem em condutas ultrapassadas, por ignorância ou desatualização em relação aos avanços da nutrição. Exemplos de alimentos recomendados que pioram sua diabetes: os pães integrais, biscoitos integrais, barras de cereal e alimentos *light*.

Esses alimentos são perigosíssimos, pois elevam muito a glicemia, obrigando-lhe a utilizar muitos medicamentos (via oral ou insulina) e causando problemas para seu corpo. Entenda que todo alimento à base de trigo (integral ou não) é açúcar puro no seu sangue. Além do glúten, esse açúcar, chamado amilopectina, é pior do que o açúcar de mesa (sacarose). Basta olhar o rótulo e checar a quantidade de carboidratos que esses alimentos possuem.

Lembre-se, carboidrato é o mesmo que açúcar, o que é veneno para você, amigo leitor. Duas fatias de pão integral correspondem a mais de duas colheres de sopa de açúcar puro. Por isso, classifiquei esses alimentos como inimigos, e, se são inimigos da sua saúde, ninguém em sã consciência os levaria para casa. Entenda, amigo leitor, este é o ponto-chave de nosso bate-papo.

Esses alimentos estão matando parte da população e causando uma série de doenças em milhões de pessoas ao redor do mundo. Eles são os responsáveis por lucros de bilhões de dólares para as indústrias.

Elimine de sua vida: os alimentos à base de trigo, açúcar, alimentos *light*, alimentos *diets*, alimentos zero e refrigerantes. É importante saber que existem outros fatores de risco que geram ou pioram sua diabetes além dos alimentos inimigos, como a genética, o estresse e o tabagismo, todavia, o pior deles é a alimentação ruim.

Nunca é demais lembrar que o trigo que você come hoje não é o mesmo que nossos antepassados consumiam. No passado, o trigo provinha de ramos longos, enquanto hoje é produzido para vendas em larga escala, é recombinado geneticamente, ou seja, um verdadeiro "Frankenstein".

São plantas pequenas altamente produtivas, mas que não fazem bem para a saúde. Elimine o consumo de trigo, ele não apenas piora sua saúde em relação à diabetes (devido ao seu açúcar, a amilopectina) como provoca, devido ao glúten, problemas no cérebro, aumenta a probabilidade de diversas formas de câncer, doenças degenerativas como Alzheimer e Parkinson, doenças de pele, problemas cardíacos e ataques do coração.

A lista é longa, assustadora e verdadeira. Minha preocupação é a desinformação, que faz você pensar que o pão, integral ou de trigo, é um alimento saudável. Entenda definitivamente, amigo leitor: o trigo é veneno.Qualquer espécie de massa à base de trigo é venenosa para seu corpo, e irá adoecer e piorar a diabetes.

Os alimentos *lights* são uma farsa que engana você duas vezes (você paga mais caro para adoecer). Esses produtos são repletos de açúcar nas formas mais variadas e disfarçadas (como a maltodextrina), com rótulos difíceis de compreender, e ainda contêm conservantes e toxinas, que engordam e desregulam a diabetes, além de predispor a várias outras doenças. Evite esses alimentos e desconfie de todos os nomes confusos que encontrar.

Afaste-se dos alimentos industrializados, como salgadinhos de saquinho, comidas congeladas e óleos vegetais poli-insaturados. Os óleos (soja, canola, milho, algodão) inflamam o corpo, pioram as dores que você já sente, complicam a diabetes e, por fim, podem causar uma série de alterações nas células do corpo.

Lembre-se de que você passou a vida inteira imaginando que certos alimentos não poderiam prejudicá-lo, mas a verdade é que eles fizeram muito mal a você. A partir de agora comece uma nova história, uma vida rumo à saúde plena, com a diabetes controlada, sem dores, com muita energia e disposição, afinal você merece.

A sua mudança começa agora! Tenha a certeza de que a boa ciência está ao seu lado e tudo dará certo. Um passo de cada vez rumo a uma vida saudável, com uma alimentação inteligente. Dê adeus aos alimentos inimigos!

COLEGAS

Você deve estar se perguntando: qual a diferença entre alimentos amigos e colegas? Os alimentos colegas que apresentarei agora devem ser consumidos em pequenas quantidades e quando a glicemia estiver regulada e a diabetes controlada você poderá aumentar seu consumo.

Diferente dos alimentos amigos e melhores amigos que veremos logo mais, que precisam ser presentes na sua rotina diária, alguns colegas são saudáveis para quem não é diabético, como os tubérculos (cenoura, batata-doce, inhame, mandioca, beterraba e outros).

Para quem é diabético tipo 1 ou tipo 2, esses alimentos colegas, que são carboidratos fibrosos, devem ser consumidos com moderação. Ou seja, até que a diabetes esteja controlada, é melhor evitá-los. Outros alimentos colegas que precisam ser consumidos com moderação são as leguminosas diversas como: feijão, ervilhas e lentilhas.

Lembre-se de que a diabetes inflama o corpo, com níveis de glicose e insulina elevados, por isso, modere no consumo dos alimentos colegas.

Gosto de usar os colegas na etapa inicial desse novo estilo de vida, porque a glicemia pode cair muito (no início) e você precisa de um nível mínimo de açúcar no sangue. A dica aqui é conversar com seu médico para que ele possa ajudar com a dosagem da medicação, que, felizmente, irá diminuir.

Vamos falar de números? Para tubérculos, frutas em geral e leguminosas, pense em, no máximo, duas colheres de sopa no almoço ou jantar.

Esses alimentos são colegas porque devem ser usados com muita moderação, especialmente para quem sofre de diabetes. É desafiador: o arroz, por exemplo, está inserido de forma muito poderosa na cultura do brasileiro, que ama esse cereal. Evite, se puder. Se insistir em consumi-lo, coma no máximo duas colheres rasas de sopa e faça o teste: meça sua glicemia uma hora antes e uma hora depois, se o valor for menor que 140 mg/dl, a quantidade está permitida.

AMIGOS

O primeiro grupo de alimentos que iremos discutir aqui são os amigos. Assim como na vida, encare-os como bons companheiros, que estarão presentes a partir de agora no seu dia a dia, nas suas compras semanais e em todas as suas refeições: café da manhã, lanches, almoço ou jantar.

Esses alimentos são importantes porque nutrem as células de seu corpo e saciam por várias horas, o que é fundamental para manter seus níveis de glicose baixos e, como consequência, sua diabetes controlada.

Eles são alimentos de baixo carboidrato e ricos em proteínas de alto valor biológico e devem ser associados a gorduras saudáveis (como as carnes bovinas, suínas e aves) ou carboidratos fibrosos, ricos em água e fibras importantes para o funcionamento do intestino e fitonutrientes (hortaliças em geral como brócolis, couve-flor, couve, alface e tantas outras folhas).

Outros alimentos amigos são os derivados do leite (laticínios), como o iogurte natural integral, a coalhada e os queijos diversos. Eles são alimentos ricos em gorduras saudáveis e bactérias amigas da flora intestinal (veremos isso detalhadamente no capítulo 6). O leite (seja integral, desnatado, sem lactose, ou de qualquer tipo) deve ser evitado conforme mostrarei mais adiante.

Certos cereais ricos em nutrientes também são alimentos amigos, como a chia (em pequenas quantidades) e a quinoa. A quinoa é um bom substituto do arroz — que, para diabéticos, não é um alimento amigo, mas *colega* — e pode ser usada em pequenas quantidades depois que a diabetes estiver controlada (duas colheres de sopa no máximo). No entanto, recomendo que evite o consumo do arroz.

Carnes diversas são alimentos amigos: brancas, vermelhas, peixes, frutos do mar, porco etc. Não é necessário tirar a gordura. A gordura saturada é importante e você não precisará exagerar na quantidade, porque ela sacia facilmente.

Neste ponto, é preciso compreender que a espécie humana evoluiu consumindo basicamente carnes com gordura. Nossos antepassados se alimentavam da carne dos animais que caçavam, assim, nossa genética está adaptada a carnes gordurosas como base da alimentação. Lembre-se de que não há nenhum estudo de elevado nível de evidência científica que comprove que a gordura saturada seja maléfica para o coração, que entupa os vasos ou que provoque infarto. Isso é lenda.

Alguns alimentos amigos são ótimas opções para lanches, você pode levá-los sem dificuldades para o trabalho ou viagens, pois são práticos e não ocupam muito espaço. São eles: as castanhas (castanhas-do--pará e castanhas-de-caju), as nozes, a macadâmia e as amêndoas. As castanhas têm uma proporção ótima de proteína, gorduras saudáveis e carboidratos fibrosos. As quantidades não precisam ser fixas, o segredo é não exagerar, então, tente pequenas porções.

MELHORES AMIGOS

Os alimentos melhores amigos são também conhecidos como alimentos funcionais, pois previnem e tratam diversas doenças, inclusive a diabetes. Esses alimentos são tão importantes que vou dedicar um capítulo para falar com mais detalhes sobre cada um deles.

Eles devem estar presentes na sua alimentação a partir de hoje. Os alimentos melhores amigos são indispensáveis também para qualquer um que deseje uma saúde plena, mas, para o diabético, são indispensáveis para controlar essa doença de forma definitiva.

Infelizmente boa parte desses alimentos, como o ovo, o óleo de coco e o abacate, é injustamente classificada como perigosa para a saúde se consumidos em excesso. A prescrição médica para o diabético, na Suécia, é a seguinte: cinco ovos caipiras, cinco colheres de sopa de óleo de coco diariamente e também ômega 3.

Os profissionais estão na vanguarda quando o assunto é nutrição. Diversos estudos de elevado nível de evidência científica nos mostram que os alimentos melhores amigos (alimentos funcionais) são a base da alimentação do diabético (seja tipo 1, seja tipo 2) e também no tratamento da obesidade.

Vamos entender melhor o papel dos alimentos funcionais: além de nutrir seu corpo (proporcionando energia) e trazer saciedade (impedindo picos de fome), esses alimentos representam perfeitamente as palavras de Hipócrates, o pai da Medicina: "Que seu alimento seja seu remédio, e que seu remédio seja seu alimento".

Eles não só tratam as doenças, mas também as previnem, ou seja, impedem que elas surjam. No caso da diabetes (tipo 1 ou 2), a melhor forma de tratá-la é com alimentos com poucos carboidratos e ricos em gorduras saudáveis. Esse padrão de alimentação irá manter baixos os níveis de açúcar no sangue.

Então, surge o questionamento: os medicamentos que eu tomo não abaixam a minha glicose? A resposta é: sim, abaixam os níveis de açúcar no sangue, porém cobram um preço muito alto da sua saúde e causam muitos efeitos colaterais, como forçar muito o pâncreas a produzir insulina. Com o passar do tempo esse órgão se esgota e perde a função, levando-o ao uso de insulina injetável pelo resto da vida.

Com os alimentos melhores amigos, você blindará sua saúde de forma natural, manterá seu corpo com o metabolismo acelerado e sua diabetes controlada.

O primeiro alimento melhor amigo da sua saúde é o ovo (de preferência caipira, mas você pode consumir ovos de granja também). Depois do leite materno, o ovo é o melhor amigo alimentar, porque traz tudo do que a vida precisa.

Pense comigo, de um ovo nasce um pintinho, um ser vivo completo. Assim, o ovo é um alimento espetacular, rico em nutrientes, gorduras saudáveis e vitaminas diversas. Acho que você já sabe disso, mas vou lembrá-lo: o colesterol presente no ovo é seu amigo, é fundamental para sua saúde. Desse modo, o ovo deve ser usado como seu principal alimento.

Você pode usar manteiga, óleo de coco ou azeite de oliva extra virgem para fazer os ovos fritos, mexidos ou omeletes, de acordo com sua preferência. Evite o preparo do ovo em óleos vegetais poli-insaturados (soja, canola, milho, girassol).

Vamos falar agora sobre o óleo de coco: um alimento espetacular. Prefira o óleo de coco para cozinhar; evite usá-lo em cápsulas, pois nessa apresentação suas quantidades são muito pequenas para trazer benefícios. Você também pode utilizá-lo para temperar saladas. Além de acelerar o metabolismo, queimar gorduras (ele é um termogênico natural) e regular os níveis de glicose do corpo, ainda pode prevenir e tratar doenças, inclusive o mal de Alzheimer.

Outro alimento fantástico é o óleo de peixe, que é comercializado em forma de cápsulas. Você pode adquiri-lo em forma de suplemento nas melhores casas de produtos naturais. Prefira as marcas importadas, pois são de melhor qualidade. Se você mora no litoral, procure peixes frescos, pois são riquíssimos em ômega 3, além de trazer outros benefícios para a sua saúde. O ômega 3 é um poderoso anti-inflamatório natural para o corpo, fundamental para o cérebro.

Outro alimento importante e que não pode faltar em sua casa é o abacate. Ele também é um alimento melhor amigo, riquíssimo em gorduras saudáveis, principalmente o ômega 9, presente também no azeite de oliva, também um alimento funcional fundamental para a sua saúde.

O ômega 9 sacia e nutre o corpo. A glutationa, também presente no abacate, é um antioxidante poderoso e proporciona uma série de benefícios. Por isso, o abacate é um alimento que não eleva a glicose no seu sangue, condição fundamental para manter a sua diabetes controlada.

Antes de terminar este capítulo, quero lhe dizer algo importantíssimo, anote no seu caderno: as gorduras saudáveis são uma fonte de energia mais recomendável para o seu corpo do que os carboidratos. Isso mesmo, os corpos cetônicos, nome dado a essas gorduras presentes em todos os alimentos melhores amigos, são um super combustível para todas as células do corpo, inclusive as do cérebro.

Você pode indagar: mas meu corpo e meu cérebro não precisam de glicose? Sim, mas estudos recentes mostram que esse órgão funciona tão bem ou até melhor com os corpos cetônicos do que com a glicose, pois a pequena quantidade de que precisa diariamente é facilmente produzida pelo fígado.

Seu corpo começará a se adaptar a usar as gorduras estratégicas no lugar de carboidratos e farináceos de trigo que você consumiu ao longo da vida.

Enfatizo: a chave para o controle da diabetes (e em alguns casos até a reversão da diabetes tipo 2) está no consumo dos alimentos melhores amigos que são à base de gorduras saudáveis (corpos cetônicos). Eles manterão os seus níveis de glicose baixos e estáveis, desinflamando, controlando e prevenindo as complicações da diabetes e permitindo a diminuição drástica dos medicamentos.

Termino este capítulo lhe apresentando um anti-inflamatório poderoso que pode prevenir o mal de Alzheimer e o mal de Parkinson, doenças degenerativas do cérebro, e até tratar artrites. Trata-se da cúrcuma, presente principalmente no açafrão, um tempero bem conhecido no Brasil.

A cúrcuma tem propriedades anti-inflamatórias melhores até do que o diclofenaco (resultado de estudos recentes) e é um excelente antioxidante, que ajuda a desinflamar o corpo. Utilize-o como tempero ou em cápsulas, de preferência diariamente.

Espero que você tenha anotado os pontos mais importantes. Se não anotou, não há problema, releia este capítulo, estude e anote, sua saúde agradecerá.

No próximo capítulo iremos conversar sobre um assunto muito importante: a flora intestinal saudável.

CAPÍTULO 6
A FLORA INTESTINAL

Hipócrates, o pai da medicina ocidental disse: "Todas as doenças começam no intestino". Essa frase descreve a importância desse órgão e das bactérias que nele habitam: a flora intestinal.

O que é a flora intestinal? O nosso intestino (delgado e grosso) é um enorme tubo, por onde passam os alimentos que são digeridos. Parte deles é absorvida pelo nosso corpo, e cai na circulação (sangue), fornecendo energia para as nossas células, tecidos e órgãos de todo o corpo. Outra parte é eliminada na forma de fezes. O que pouca gente sabe é que esse local é habitado por milhões de bactérias; para cada célula do nosso corpo, existem cerca de dez bactérias que formam a flora intestinal.

Assim, a flora intestinal são as bactérias que habitam nosso intestino e participam da digestão dos alimentos. Aí surge a indagação: qual a importância delas para a nossa saúde? Respondo: as bactérias da flora intestinal são fundamentais nesse caso. Se você tiver uma flora intestinal saudável, habitada em maior quantidade por bactérias amigas, manterá uma boa saúde. Por outro lado, se tiver uma flora intestinal com bactérias pouco saudáveis, suas chances de adoecer são maiores.

Vamos aprofundar mais nesse assunto para entender melhor essas bactérias e a importância da flora intestinal para a saúde de qualquer pessoa, especialmente para quem é diabético.

Em 2010, um estudo publicado pela conceituada Universidade de Harvard[31] analisou a composição da flora intestinal de crianças da África rural. A pesquisa observou o efeito da alimentação dessas crianças sobre a flora intestinal. As crianças foram escolhidas por um motivo específico: suas dietas são ricas em fibras, parecidas com a alimentação dos nossos antepassados, da época do surgimento da agricultura.

---

31 PERMULLTER, David. *Amigos da Mente*. São Paulo: Editora Paralela, 2014.

Como já conversamos, os nossos ancestrais tinham uma alimentação muito mais natural, rica em fibras, além de proteínas e gorduras saudáveis. Esse estudo mostra como a alimentação rica especificamente em fibras (coco, mandioca e outros carboidratos fibrosos) dessas crianças afeta as bactérias do intestino, a flora intestinal.

Por meio de testes genéticos, os cientistas identificaram os tipos de bactérias presentes nas fezes (matéria fecal das crianças). Eles também analisaram a quantidade de gorduras (ácidos graxos de cadeia curta) fabricadas pelas bactérias do intestino ao digerir fibras vegetais da alimentação dessas crianças (frutas fibrosas, coco e tubérculos).

Existem dois grandes grupos de bactérias na nossa flora intestinal: as bacteroidetes, bactérias amigas de uma flora intestinal saudável (quando presentes em maior quantidade), e as firmicutes, bactérias poucos saudáveis se estiverem presentes em grandes quantidades.

Esses dois grupos de bactérias, se somados, representam mais de 90% da população da flora intestinal. A relação entre os dois grupos acaba determinando os níveis de inflamação do corpo e diretamente associada com condições como obesidade, doenças arteriais coronarianas, processos inflamatórios e a diabetes.

Ainda que não exista uma correspondência matemática perfeita, esse estudo em crianças africanas, somado a outros, mostra que uma maior proporção de firmicutes acarreta mais chances de desenvolver resistência à insulina, de ter o corpo inflamado e de desenvolver pressão alta, obesidade, diabetes tipo 2 e suas terríveis consequências: doenças cardiovasculares (infartos e AVC), amputações, cegueira e outros problemas que já foram apresentados.

Isso acontece porque as bactérias firmicutes absorvem com facilidade as calorias agressivas do corpo (de alimentos inimigos como trigo e açúcar principalmente). Quando você consome alimentos inimigos, essas bactérias aumentam, absorvendo muitas calorias, levando ao armazenamento de gordura e aumentando os níveis de glicose no sangue, o que piora sua diabetes.

As bacteroidetes, por sua vez, são bactérias bem mais amigáveis porque quebram alguns amidos pesados e fibras vegetais, transformando parte disso em moléculas menores de ácidos graxos. O corpo usa isso como fonte de energia, e você, nesse caso, não engorda nem descontrola sua diabetes.

A comunidade científica hoje divide a proporção de bactérias firmicutes (que tendem a adoecê-lo se presentes em maior proporção) pelas bacteroidetes (que o ajudam a emagrecer), o que podemos chamar, então, de F/B. Quanto menor esse valor, melhor. Esse é considerado um marcador de obesidade e diabetes tipo 2.

O estudo da Universidade de Harvard mostrou que os intestinos dos ocidentais são mais dominados pelas firmicutes (por isso temos uma população tão obesa e diabética), e, na região da África analisada, a flora intestinal das crianças é dominada pelas bacteroidetes (por isso tendem a ser mais magras, mais atléticas e mais saudáveis).

Muitos estudos[32] já comprovaram que, além de extrair calorias, as firmicutes também podem ajudar a regular os genes do nosso metabolismo, ou seja, essas bactérias, tão abundantes em pessoas acima do peso, controlam os genes que causam impacto negativo sobre o metabolismo.

Em resumo, elas sequestram nosso DNA e enganam nosso corpo, fazendo-o acreditar que precisamos reter calorias. Essas bactérias em excesso atrapalham o sistema imunológico, ou seja, a defesa do corpo, deixando-o mais propenso a desenvolver diversas infecções.

Desequilíbrios na composição da comunidade da flora intestinal acarretam, por fim, doenças inflamatórias, que podem estar relacionadas com a obesidade e com a diabetes tipo 2.

No entanto, não precisa se preocupar em decorar nomes de bactérias. O que você precisa aprender é que uma alimentação inteligente, rica em carboidratos fibrosos e gorduras saudáveis, lhe proporcionará

32 PERMULLTER, David. *Amigos da Mente*. São Paulo: Editora Paralela, 2014.

uma flora intestinal saudável, o ajudará a emagrecer, controlará a diabetes e resultará numa boa absorção dos nutrientes.

É importante, por isso, eliminar os alimentos inimigos (e colegas em excesso) da sua alimentação, pois aumentam a quantidade de bactérias inflamatórias na flora intestinal, engordam, descontrolam a diabetes e trazem consequências muito ruins para a saúde.

Existem alimentos que são ricos em bactérias saudáveis, como o iogurte natural integral, a coalhada integral e o kefir. Eles podem e devem ser usados pelos diabéticos e são conhecidos como probióticos. Além disso, ajudam a recuperar a sua flora intestinal danificada e inflamada que será substituída por outra flora intestinal saudável e desinflamada.

Outros alimentos igualmente importantes para o consumo dos diabéticos são os prebióticos: alimentos de que as bactérias saudáveis gostam muito e ajudam a construir uma nova flora intestinal saudável. Eles são ricos em amido resistente, chamado assim porque não é digerido nem absorvido no intestino, e servem de alimento para essas bactérias saudáveis de que o corpo precisa.

Estudos mostram que em pessoas obesas os prebióticos podem reduzir a resistência à insulina, os triglicerídeos e as frações de LDL de partículas pequenas, que são inflamatórias.[33]

Apresento a seguir os principais prebióticos e probióticos que irão alimentar a sua nova flora intestinal a partir de hoje.

ALIMENTANDO SUA FLORA INTESTINAL

1) Probióticos: alimentos que contêm bactérias amigas para a sua flora intestinal: iogurte natural integral (não adoçado), coalhada caseira e kefir. Devem ser consumidos no café da manhã ou em lanches. Consuma diariamente, se possível.

2) Prebióticos: para alimentar as bactérias da flora intestinal, devem ser consumidos diariamente ou, pelo menos, em dias alternados (dia sim, dia não). Escolha uma das opções a seguir:

---

33 PARNELL, J.A.; REIMER, R.A. Prebiotic fiber modulation of the gut microbiota improves risk factors for obesity and the metabolic syndrome. *GutMicrobes*, v. 3, n. 1, jan.-fev, 2012, p. 29-34. Disponível em: <https://www.ncbi.nlm.nih.gov/pubmed/22555633>. Acesso em: 9 mar. 2017.

2.1) Banana verde: uma banana média verde picada e batida com abacatada, frutas vermelhas, iogurte natural ou coalhada. É interessante congelar essas bananas verdes para evitar que elas amadureçam, perdendo assim o efeito.

2.2) Polvilho doce: de duas a três colheres de sopa batidas na abacatada, iogurte ou coalhada.

2.3) Fécula de batata crua: de duas a três colheres de sopa batidas na abacatada, iogurte ou coalhada.

Lembre que você deve escolher uma das opções e não todas de uma só vez.

Para terminar este capítulo compartilho um pouco da minha experiência médica e como educador em saúde sobre flora intestinal, além da minha bagagem depois de ter acompanhado milhares de alunos pelo Brasil, obtendo depoimentos no meu projeto "Diabetes Controlada" pela internet.

Observei algo muito interessante nos relatos dos alunos que conseguiram controlar a diabetes de forma natural através da alimentação inteligente e da flora intestinal regulada com probióticos e prebióticos: a maioria daqueles que obtiveram sucesso seguiam rigorosamente a alimentação da flora intestinal com os prebióticos e probióticos.

Assim, ficou claro que para alguns não basta só a alimentação inteligente, mas o controle da flora intestinal é um grande aliado para a regulação da diabetes, diminuindo significativamente os medicamentos, melhorando os níveis de energia, o funcionamento intestinal e o sono e prevenindo complicações diversas da diabetes.

Por isso, amigo leitor, vou lhe pedir para incluir os alimentos prebióticos e probióticos a partir de hoje. Anote quais são esses alimentos, releia este capítulo e tenho certeza de que em poucas semanas você já estará relatando os benefícios desse novo estilo de vida, rumo à saúde plena.

Uma flora intestinal rica em bactérias amigas é tudo de que você precisa para o controle da diabetes e a melhora da saúde de todas as células, órgãos e tecidos do corpo.

No próximo capítulo, voltaremos a conversar sobre os alimentos funcionais, os alimentos melhores amigos, e aprenderemos mais sobre cada um deles.

Conheça agora a emocionante história de superação da aluna Leda, que, em meio a um tratamento de câncer, descobriu que tinha diabetes tipo 2, e assim aderiu ao Programa Diabetes Controlada:

Tive três diagnósticos de câncer. Da primeira vez eu não fiz quimioterapia, da segunda vez sim e fiquei totalmente letárgica, na cama, sem nenhuma energia, mas graças a Deus eu tinha pessoas que preparavam a minha alimentação. Na terceira vez, já estava no projeto Diabetes Controlada, e tive uma espetacular surpresa.

Quando o dr. Rocha falou que iria pegar na minha mão e me conduzir passo a passo por uma alimentação inteligente, ele realmente entrou na minha alma.

Em 1992, após ter desmamado o meu terceiro filho, tive um diagnóstico de câncer de mama. Não gostei nada daquilo, porque tinha 32 anos, meu marido e minha família choraram muito, e eu também. Fiz uma retirada de mama, e, depois disso, passei um período muito triste.

A primeira mudança que resolvi na minha vida foi viajar sozinha, porque em 2010 eu tinha passado por uma separação conjugal, durante o meu segundo câncer. Entre 2010 e 2014 todos os meus filhos se casaram.

Em 2015, queria uma mudança de vida, e a primeira mudança foi comprar uma viagem sozinha. Depois, retornei a Londrina disposta a entrar numa atividade física.

Como estava 23 quilos acima do meu peso, achei que deveria fazer alguns exames e perguntar aos médicos se poderia começar um exercício novo.

Refazendo meus exames na ginecologista, ela falou: "Você está muito inchada, não sei por que motivo você está retendo água, vamos fazer exames e ter um diagnóstico mais preciso". Feitos os exames, ela observou que eu estava com hipotireoidismo, minha glicose estava bem acima da média e eu estava acima do peso.

Ela perguntou se alguém próximo da família tinha diabetes. Eu respondi que sim, que havia perdido dois tios por parte de mãe com diabetes tipo 2. Ela falou que precisaria entrar imediatamente com medicação, porque a minha diabetes era tipo 2 e minha glicose estava por volta de 123mg/dl, e não podia permanecer dessa forma em jejum. Depois eu fiz outro exame, e acusou 240mg/dl.

Quando a médica me indicou a metformina, com três dias de uso, quase vomitei. Cheguei a tomar um mês e meio e não tive resultado.

A minha experiência com o projeto começou no Facebook, quando vi um vídeo propaganda interessante. Depois, assim que comecei o projeto Diabetes Controlada, em duas semanas, senti diferença no sono. Meu metabolismo aumentou, e então comecei a desinchar, principalmente minhas mãos e meus pés. Quando fazia quimioterapia eu não estava tão inchada, mas quando fui à ginecologista a última vez estava bastante. Outro ponto que também percebi foi a minha energia pessoal, que mudou muito. Mesmo durante a quimioterapia, eu não ficava mais na cama, eu ia à cozinha preparar minha alimentação três a quatro vezes por dia, conforme eu tinha vontade.

Sete meses depois havia perdido 11 quilos. Hoje, não estou doente, não estou desnutrida e estou cada dia mais contente, mais feliz e mais animada. Agora, sim, estou apta para praticar atividade física.

Quero que você chegue a esse projeto com a alegria que estou sentindo agora. Segure na mão do dr. Rocha, assim como segurei. Mesmo que você seja sozinho, indisciplinado, como eu era, ainda assim siga adiante, faça a sua dieta, que você verá, dia a dia, o seu corpo desinflamar.

Então, deixo aqui o meu muito obrigado. Quero que o dr. Rocha saiba que tem um grande trabalho pela frente, no sentido de salvar vidas. Assim como ele salvou a minha, porque ainda passaria por mais 21 sessões de quimioterapia. Com o Programa Diabetes Controlada, cuido do meu corpo, sou cheia de energia, sou alegre, sem precisar de nada, isso devo ao dr. Rocha.

Muito obrigada, dr. Rocha, que Deus esteja contigo todo o tempo.

CAPÍTULO 7
A ALIMENTAÇÃO FUNCIONAL

No Capítulo 5 conversamos sobre os tipos de alimentos e enfatizei a importância de cada um deles para o controle da diabetes. Vimos também que os alimentos melhores amigos são os principais. Neste capítulo, vou me aprofundar nesses alimentos, que também são chamados alimentos funcionais. Tenho certeza de que você incluirá cada um deles na sua rotina. No final de cada tópico darei dicas de como consumi-los. Vamos lá!

OVOS

Conversamos anteriormente sobre os incríveis benefícios dos ovos para a saúde do diabético (e de qualquer pessoa). O que talvez você não saiba é que o ovo é um polivitamínico completo, muito rico em vitaminas A, B2, B5, B12, folato, fósforo e selênio. Ele possui também quantidades expressivas de vitaminas D, E, K, B6, cálcio e zinco. É por isso que os ovos são considerados os alimentos mais nutritivos do planeta, depois do leite materno.

O ovo é também rico em colesterol saudável, o HDL (conhecido também como o bom colesterol). Se você associar o consumo de ovos diários a uma atividade física regular, irá aumentar esse colesterol tão importante para sua saúde, diminuir os riscos de desenvolver doenças cardiovasculares,[34] e ainda irá controlar a diabetes com facilidade.

Os ovos são ricos em colesterol. Você aprendeu no Capítulo 3 que o colesterol é fundamental para a sua saúde, mas, na verdade, é sua qualidade que importa e não apenas sua quantidade total (colesterol total). Entenda, então, que comer mais ovos não implica o aumento do colesterol no sangue,[35] pois boa parte dele é produzida no fígado. Assim, se você cómer mais ovos, esse órgão terá de produzir menos colesterol.[36]

34 GORDON, D.J. et al. High-density lipoprotein cholesterol and cardiovascular disease. Four prospective American studies. *Circulation*, v. 79, p. 8-15, 1 jan. 1989. Disponível em: <http://circ.ahajournals.org/content/79/1/8.short>. Acesso em: 9 mar. 2017.

35 FERNANDEZ, M.L. Rethinking dietary cholesterol. *Curr Opin Clin Nutr Metab Care*, v. 15, n. 2, mar. 2012, p. 117-21. Disponível em: <https://www.ncbi.nlm.nih.gov/pubmed/22037012>. Acesso em: 9 mar. 2017.

36 JONES, P. J. H. et al. Dietary Cholesterol Feeding Suppresses Human Cholesterol Synthesis Measured by Deuterium Incorporation and Urinary Mevalonic Acid Levels. *Arteriosclerosis, Thrombosis, and Vascular*

Mesmo que seu colesterol total aumente com a ingestão de ovos (isso acontece com bem poucas pessoas), ocorrerá devido ao HDL, que, como vimos, é o colesterol bom. Então entenda de forma definitiva: o colesterol do ovo é saudável e a boa ciência mostra isso.

Os ovos contêm um nutriente muito importante chamado colina, que é classificado como um tipo de vitamina do complexo B, fundamental para o cérebro e outros órgãos do corpo. Cada ovo possui cerca de 100 mg desse importante nutriente.

Os ovos contêm também luteína e zeoxantina, dois antioxidantes que trazem benefícios para a saúde ocular. Com a idade, a visão tende a piorar, mas a boa notícia é que os ovos são ricos nesses dois nutrientes. Estudos mostram que ambas ajudam a manter e melhoram a saúde da sua retina.[37] Outros estudos mostram que esses dois nutrientes reduzem os riscos no desenvolvimento de cataratas e degeneração macular,[38] condições muito comuns em diabéticos.

Biology, v. 16, 1996, p. 1222-1228. Disponível em: <http://atvb.ahajournals.org/content/16/10/1222.long>. Acesso em: 9 mar. 2017.

37 Disponível em: <http://ajcn.nutrition.org/content/70/2/247.short>. Acesso em: 9 mar. 2017.

38 Disponível em: <http://iovs.arvojournals.org/article.

Os ovos também são ricos em vitamina A, cuja deficiência é uma das causas mais comuns de cegueira no mundo. Outro benefício dos ovos é a diminuição dos triglicerídeos, os ovos caipiras são ricos em ômega 3.[39]

Os ovos também são ricos em proteínas de alto valor biológico, essenciais para a construção e manutenção da musculatura do corpo (massa magra) e para a manutenção do metabolismo, com todos os aminoácidos essenciais de que você precisa.

São inúmeros os benefícios dos ovos, seria possível escrever uma obra completa apenas sobre esse tema. O essencial é que você, amigo leitor, compreenda a importância de consumi-los, e possa, assim, desfrutar de todos esses benefícios para a sua saúde.

DICAS PRÁTICAS PARA O CONSUMO DE OVOS

Você pode consumi-los de várias formas: omeletes (recheadas com alimentos amigos como: brócolis, carnes, queijos etc.), cozidos, fritos na manteiga (nunca marga-

aspx?articleid=2125160>. Acesso em: 9 mar. 2017.

39 Disponível em: <http://www.sciencedirect.com/science/article/pii/S0021915006000694>. Acesso em: 9 mar. 2017.

rina) ou no óleo de coco, mexidos. Permita que a sua criatividade elabore inúmeras receitas.

É importante consumir diariamente de três a seis ovos caipiras (preferencialmente).

ÓLEO DE COCO

O óleo de coco é um alimento riquíssimo não só para diabéticos, mas também para prevenir e tratar diversas doenças, conforme veremos a seguir.

São tantos os benefícios, que já ministrei palestras inteiras e até treinamentos sobre esse incrível alimento funcional, que é tão pouco utilizado no Brasil, um país tão rico nesse alimento melhor amigo da sua saúde.

O óleo de coco contém gorduras saudáveis, pois 90% de sua composição é de gorduras saturadas de cadeia média, as mais saudáveis que existem para o ser humano. Vale recordar: não existe relação entre gordura saturada e doenças cardiovasculares, a ciência já comprovou isso.[40] As gorduras de cadeia mé-

---

40 SIRI-TARINO, P. Q. et al. Meta-analysis of prospective cohort studies evaluating the association of saturated fat with cardiovascular disease. *The American Jounal of Clinical Nutrition*, 13 jan. 2010. Disponível em: <http://ajcn.nutrition.org/content/early/2010/01/13/ajcn.2009.27725.abstract>. Acesso em: 9 mar. 2017.

dia são usadas como fonte de energia pelo seu corpo imediatamente após a ingestão, trazendo nutrição e saciedade, tudo o que é preciso para o controle da diabetes.

As sociedades que utilizam o óleo de coco estão entre as mais saudáveis do mundo. No Brasil, muitas pessoas ainda consideram o óleo de coco um alimento exótico, mas diversas sociedades o utilizam há séculos, como os Tokelauans, que vivem no Pacífico Sul. Cerca de 60% de sua alimentação provém do coco. Além disso, eles são considerados os maiores consumidores de gordura saturada do mundo. Um estudo apontou que os Tokelauans têm uma excelente saúde, com raríssimas evidências de doenças cardíacas.[41]

O óleo de coco auxilia o corpo na queima de gordura, o que o torna um termogênico natural. Essa é uma excelente notícia para quem é diabético, uma vez que 90% deles são obesos ou estão acima do peso. As

41 PRIOR, I. A. et al. Cholesterol, coconuts, and diet on Polynesian atolls: a natural experiment: the Pukapuka and Tokelau island studies. The American Journal of Clinical Nutrition, v. 34, n. 8, ago. 1981, p. 1552-1561. Disponível em: <http://ajcn.nutrition.org/content/34/8/1552.short>. Acesso em: 9 mar. 2017.

gorduras de cadeia média aumentam a queima da gordura no corpo,[42] principalmente na região da barriga (abdominal).

O óleo de coco é também um poderoso anti-inflamatório, antibiótico, antifúngico e antiviral natural. Cerca da metade de suas gorduras é formada pelo ácido láurico, que quando absorvido pelo corpo se transforma em monolaurina apresentando diversas propriedades contra micro-organismos diversos.[43]

É também usado com muito sucesso no tratamento de pacientes com doenças neurológicas, como as crises convulsivas[44] e o mal de Alzheimer.[45]

Assim como os ovos caipiras, o óleo de coco também eleva o HDL (considerado o bom colesterol) e reduz as partículas pequenas de LDL, consideradas

---

42 SEATON, T.B. et al. Thermic effect of medium-chain and long-chain triglycerides in man. *Am J Clin Nutr.*, v. 44, n. 5, nov. 1986, p. 630-4.
Disponível em: <https://www.ncbi.nlm.nih.gov/pubmed/3532757>.
Acesso em: 9 mar. 2017.

43 KABARA, J.J. et al. Fatty Acids and Derivatives as Antimicrobial Agents. *Antimicrob Agents Chemother*, v. 2,n 1, jul. 1972, p. 23–28. Disponível em: <https://www.ncbi.nlm.nih.gov/pmc/articles/PMC444260/>. Acesso em: 9 mar. 2017.

44 LIU, Y.M. Medium-chain triglyceride (MCT) ketogenic therapy. *Epilepsia*, v. 49 Suppl 8, nov. 2008, p. 33-6. Disponível em: <https://www.ncbi.nlm.nih.gov/pubmed/19049583>. Acesso em: 9 mar. 2017.

45 COSTANTINI, L.C. et al. Hypometabolism as a therapeutic target in Alzheimer's disease. *BMC Neurosci*, 9(Suppl 2), 2008, p. S16. Disponível em: <https://www.ncbi.nlm.nih.gov/pmc/articles/PMC2604900/>. Acesso em: 9 mar. 2017.

perigosas, pois são associadas ao aumento de doenças cardiovasculares.[46]

O óleo de coco é também riquíssimo em fibras, contribuindo para um melhor funcionamento intestinal; protege os cabelos e hidrata a pele, quando o seu uso é realizado diretamente (como cosmético) e ainda protege os dentes e combate o mau hálito.[47]

O óleo de babaçu é também muito benéfico e possui propriedades muito próximas às do óleo de coco.

DICAS PARA O CONSUMO
DE ÓLEO DE COCO

Você poderá comprar o óleo de coco nas melhores casas de produtos naturais. Quanto maior a quantidade, maior será a economia. Utilize-o para cozinhar, para temperar saladas, no café ou da forma que achar mais prático. Recomendo uma dose de até 5 colheres de sopa por dia. Inicie aos poucos, fracionando em doses ao longo do dia.

46 ASSUNÇÃO, M.L. et al. Effects of dietary coconut oil on the biochemical and anthropometric profiles of women presenting abdominal obesity. *Lipids*, v. 44, n. 7, jul. 2009, p. 593-601. Disponível em: <https://www.ncbi.nlm.nih.gov/pubmed/19437058>. Acesso em: 9 mar. 2017.

47 ASOKAN, S. et al. Effect of oil pulling on Streptococcus mutans count in plaque and saliva using Dentocult SM Strip mutans test: A randomized, controlled, triple-blind study. *Journal of Indian Society of Pedodontics and Preventive Dentistry*, v. 26, n. 1, 2008, p. 12-17. Disponível em: <http://www.jisppd.com/article.asp?issn=0970-4388;year=2008;volume=26;issue=1;spage=12;epage=17;aulast=Asokan>. Acesso em: 9 mar. 2017.

AZEITE DE OLIVA

Outro alimento funcional muito saudável é o azeite de oliva. Antes de nos aprofundarmos em seus benefícios, saiba que ele deve ser de qualidade para ter propriedades funcionais. Como saber se o azeite de oliva é de boa procedência? Um azeite de oliva de qualidade deve ter as seguintes características: ser embalado em vidro escuro (a luz solar estraga o azeite quando é engarrafado em vidro claro ou transparente), deve ter acidez menor do que 0,5 (basta olhar o rótulo para saber), deve ser extravirgem e prensado a frio (informações obtidas na embalagem). Dito isso, apresento-lhe algumas propriedades medicinais do azeite de oliva.

A maior parte das gorduras saudáveis do azeite é do tipo monoinsaturada, conhecida como ácido oleico. São gorduras já estudadas há muitas décadas pelos seus benefícios. Têm propriedades anti-inflamatórias naturais. Um estudo, inclusive, mostrou que o ácido oleico possui efeitos parecidos com o do ibuprofeno (anti-inflamatório bem conhecido).[48]

---

48 BEAUCHAMP, G.K. et al. Phytochemistry: ibuprofen-like activity in extra-virgin olive oil.

O azeite de oliva extravirgem tem também efeitos antioxidantes que ajudam a combater e prevenir diversas doenças, inclusive doenças cardiovasculares.[49]

Entenda: assim como os ovos e o óleo de coco, o azeite extravirgem não engorda, ao contrário, ajuda a controlar o peso. Um estudo interessante, realizado na Espanha, acompanhou mais de 7 mil pesquisados ao longo de dois anos e meio, e constatou-se que não houve ganho de peso significativo com uma dieta mediterrânea, rica em azeite extravirgem.[50]

A melhor parte: vários estudos têm sugerido que o uso diário do azeite de oliva, aliado a uma alimentação de baixo carboidrato e rica em outras gorduras saudáveis, ajuda a prevenir e tratar a diabetes tipo 2. Isso ocorre por causa de suas propriedades anti-inflamatórias e antioxidantes.[51]

Nature, v. 437, n. 7055, set. 2005, p. 45-46.
Disponível em: <https://www.ncbi.nlm.nih.gov/pubmed/16136122>.
Acesso em: 9 mar. 2017.

49 TUCK, K.L. Major phenolic compounds in olive oil: metabolism and health effects. *J Nutr Biochem.*, v. 13, n. 11, nov. 2002, p. 636-644. Disponível em: <https://www.ncbi.nlm.nih.gov/pubmed/12550060>. Acesso em: 9 mar. 2017.

50 BES-RASTROLLO, M. et al. Olive oil consumption and weight change: the sun prospective cohort study. *Lipids*, v. 41, n. 3, mar. 2006, p. 249-56. Disponível em: <https://www.ncbi.nlm.nih.gov/pubmed/16711599>. Acesso em: 9 mar. 2017.

51 KASTORINI, C.M. et al. Dietary patterns and prevention of type 2 diabetes: from research to clinical practice; a systematic review. *Curr Diabetes* Rev., v. 5, n. 4,

DICAS PARA O CONSUMO
DO AZEITE DE OLIVA

O azeite de oliva pode ser usado para frituras, substituindo o óleo de soja, canola, algodão e milho (óleos inimigos da sua saúde). Também pode ser utilizado cru em saladas. Ele deve ser consumido diariamente por quem é diabético.

ABACATE

Depois do coco, o abacate é seguramente a fruta mais saudável para os diabéticos. Rica em gorduras saudáveis monoinsaturadas, contém nutrientes diversos, vitaminas K, C, B5, B6 e E. Além disso contém folato, magnésio, manganês, cobre, ferro, zinco, fósforo e pequenas quantidades de vitaminas A, B1, B2 e B3.

O abacate, assim como o azeite de oliva extravirgem, é rico em gordura monoinsaturada, ácido oleico (um tipo de ômega 9) e contém propriedades anti-inflamatórias e antioxidantes. Possui mais potássio do que as bananas, protegendo da hipertensão arterial e

nov. 2009, p. 221-7. Disponível em: <https://www.ncbi.nlm.nih.gov/pubmed/19531025>. Acesso em: 9 mar. 2017.

de doenças cardiovasculares (infartos e AVCs).[52] Seu uso pode aliviar sintomas de artrites e osteoartrites devido a seu efeito anti-inflamatório.[53]

Essa fruta é rica em fibras solúveis e insolúveis. As fibras solúveis alimentam as bactérias amigas da flora intestinal e as insolúveis contribuem para um bom funcionamento do intestino.

Assim como os ovos, o abacate é rico em luteína e zeoxantina, substâncias antioxidantes que melhoram a saúde ocular (visão), prevenindo doenças como catarata e retinopatias.[54]

DICAS PARA O CONSUMO DE ABACATE

Essa fruta deve ser consumida batida com água, iogurte natural ou morangos. Você pode adoçá-la com stévia (em pequenas quantidades). Uma boa opção também são as gua-

52 ABURTO, N.J. et al. Effect of increased potassium intake on cardiovascular risk factors and disease: systematic review and meta-analyses. *BMJ*., v. 3, n. 346, abr. 2013, p. f1378. Disponível em: <https://www.ncbi.nlm.nih.gov/pubmed/23558164>. Acesso em: 9 mar. 2017.

53 DINUBILE, N.A. A potential role for avocado - and soybean-based nutritional supplements in the management of osteoarthritis: a review. *Phys Sportsmed*., v. 38, n. 2, jun. 2010, p. 71-81. Disponível em: <https://www.ncbi.nlm.nih.gov/pubmed/20631466>. Acesso em: 9 mar. 2017.

54 KHACHIK, F. Identification of lutein and zeaxanthin oxidation products in human and monkey retinas. *IOVS*, v. 38, n. 9, ago. 1997. Disponível em: <http://iovs.arvojournals.org/article.aspx?articleid=2180938>. Acesso em: 9 mar. 2017.

camoles (com tomates, limão, temperos), ou cortado aos pedaços em saladas. O abacate ainda pode ser batido com água e algum prebiótico, como banana verde ou polvilho doce ou fécula de batata (ver capítulo 6).

AÇAFRÃO

O açafrão da terra – ou cúrcuma – é um pó amarelo que tem propriedades medicinais conhecidas há séculos pelos indianos, que utilizam mais o curry. Tanto o açafrão quanto o curry são temperos com um princípio ativo chamado curcumina.

Seu uso traz uma série de benefícios para o corpo. A cúrcuma é um antioxidante poderoso e anti-inflamatório, conforme mostram diversos estudos.[55]

Tem sido usado no tratamento de várias doenças crônicas como artrites, osteoartroses e até alguns tipos de câncer.

Outro benefício importante da cúrcuma presente no açafrão e no curry é o combate de radicais livres,

---

55 Anti-inflammatory properties of curcumin, a major constituent of Curcuma longa: a review of preclinical and clinical research. *Altern Med Rev.*, v. 14, n. 2, jun. 2009, p. 141-53. Disponível em: <https://www.ncbi.nlm.nih.gov/pubmed/19594223>. Acesso em: 9 mar. 2017.

ajudando na desintoxicação do corpo, estimulando-o a produzir antioxidantes importantes para sua saúde.[56]

A cúrcuma protege o cérebro contra doenças degenerativas (Alzheimer, Parkinson) e até ajuda na formação de novos neurônios.[57] Alguns estudos também apontam que a cúrcuma ajuda a prevenir doenças cardiovasculares (derrames, infartos).[58]

Um efeito muito promissor da cúrcuma é sua ação antidepressiva, que ainda é objeto de estudo, mas já apresenta ótimos resultados.[59]

Por último, os efeitos da cúrcuma no retardo do envelhecimento (efeito *antiaging*) também é objeto de estudo muito promissor.[60]

---

56 MENON, V.P.; SUDHEER, A.R. Antioxidant and anti-inflammatory properties of curcumin. *Adv Exp Med Biol.*, v. 595, 2007, p. 105-25. Disponível em: <https://www.ncbi.nlm.nih.gov/pubmed/17569207>. Acesso em: 9 mar. 2017.

57 XU, Y. et al. Curcumin reverses the effects of chronic stress on behavior, the HPA axis, BDNF expression and phosphorylation of CREB. *Brain Research*, v. 1122, n. 1, 29 nov. 2006, p. 56-64. Disponível em: <http://www.sciencedirect.com/science/article/pii/S0006899306027144>. Acesso em: 9 mar. 2017.

58 WONGCHAROEN, W.; PHROMMINTIKUL, A. The protective role of curcumin in cardiovascular diseases. *Int J Cardiol.*, v. 3, n. 133(2), abr. 2009, p. 145-51. Disponível em: <https://www.ncbi.nlm.nih.gov/pubmed/19233493>. Acesso em: 9 mar. 2017.

59 SANMUKHANI, J. Efficacy and safety of curcumin in major depressive disorder: a randomized controlled trial. *Phytother Res.*, v. 28, n. 4, abr. 2014, p. 579-85. Disponível em: <https://www.ncbi.nlm.nih.gov/pubmed/23832433>. Acesso em: 9 mar. 2017.

60 SIKORA, E.; SCAPAGNINI, G.; BARBAGALLO, M. Curcumin, inflammation, ageing and age-related diseases. *Immunity & Ageing*, v. 7, n. 1, 20 nov. 2009. Disponível em: <http://immunityageing.biomedcentral.com/

DICAS PARA O USO DO AÇAFRÃO

O açafrão pode ser usado para temperar carnes, frango, peixe. Utilize-o nos ovos mexidos ou associado a outro alimento amigo de acordo com sua criatividade. O importante é utilizá-lo diariamente.

Uma dica importante: adicione pimenta-preta em pó ao açafrão para potencializar as propriedades, bem como os efeitos benéficos desse importante alimento funcional.

Você também pode utilizar o cúrcuma em cápsulas, encontradas nas melhores casas de produtos naturais. Procure o cúrcuma associado à biopiperina para que seja mais bem absorvido e produza todos os efeitos de que precisa.

No próximo capítulo, iremos para a parte prática deste livro. Vou lhe mostrar o passo a passo da alimentação inteligente para que você possa iniciar seu novo estilo de vida.

Apresento-lhe o depoimento do aluno José Venâncio, que seguiu criteriosamente o Programa Diabetes Controlada, e relatou os incríveis resultados que obteve:

articles/10.1186/1742-4933-7-1>. Acesso em: 9 mar. 2017.

Quando você descobre que tem diabetes, isso incomoda. Porque, queira ou não queira, o médico já o está condenando. Perguntei ao doutor: "Doutor, e aí, o que eu faço?". Ele me respondeu: "Você não faz nada, vai tomar os remédios que vou prescrever, tomará isso para o resto da vida". E eu falei: "Para o resto da vida?". Ele disse: "Sim, diabetes não tem cura, meu amigo".

Na minha atividade profissional, viajo muito. Durante as viagens percebi que alguns sintomas começaram a aparecer, procurei alguns médicos e na primeira análise, concluíram que estava com algum problema alérgico que piorou com o excesso de atividades, ou seja, o meu organismo não estava respondendo da maneira que precisava.

O médico prescreveu vários exames, realizei todos eles e voltei ao consultório e fui informado de que eu tinha diabetes.

Cheguei em casa um pouco desconfortável, preocupado, minha esposa perguntou como havia sido o exame e eu disse: "Foi péssimo, estou condenado, o médico me condenou a tomar remédios para o resto da vida".

Então resolvi naquele momento que não deveria aceitar simplesmente aquilo que aquele profissional me passou, sabia que tinha um problema. Esse problema apareceu, se apareceu é porque havia feito alguma coisa que havia contribuído para isso.

Passei uma noite inteira pesquisando e depois mais três dias, e só então entendi o que era a diabetes, qual a sua patologia, como ela surgia, o que fazia com que ela aparecesse. Estudei várias metanálises fora do Brasil, procurando os órgãos científicos internacionais, pesquisando o que era diabetes e a forma de tratar a doença.

Na realidade eu conheci um médico na Suécia que tinha um programa de diabetes sem remédios. E aí eu comecei a procurar no Brasil, através da internet, tratamentos sem remédios. Foi quando descobri o programa Diabetes Controlada.

Eu lembro que assisti a uns quatro ou cinco vídeos desse programa e num primeiro momento achei um pouco suspeito. Para falar a verdade, pesquisando mais a fundo decidi que iria comprar o programa. Minha esposa me perguntou se eu achava que funcionaria. Eu disse que não achava nada, mas que não queria tomar remédio pelo resto da vida e continuar condenado. Já estava tomando medicamentos e precisava mudar aquilo.

Então, depois de muito pesquisar resolvi começar o programa porque corroborava o que eu tinha pesquisado lá fora: que existe uma maneira de tratar a doença sem remédios, que existem evidências científicas que comprovam que é possível combater a doença por meio de uma alimentação adequada.

Falei com minha esposa: "Quero que você compre para mim uma lista só desses alimentos melhores amigos, já os amigos, colegas, inimigos, você já pode tirar 100% da minha dieta". E eu encarei realmente como um desafio, com seriedade total. Se me perguntarem se foi fácil mudar a minha alimentação, eu digo que não, não foi fácil mudar. Principalmente para quem gosta de pão no café da manhã, no almoço e no jantar e gosta de comer arroz e feijão em quantidade exagerada, não é tão simples mudar, mas eu me determinei e aceitei aquele desafio. Tinha duas opções: ou eu mudava ou realmente aceitava que já estava condenado.

Eu mudei, encarei realmente com vigor aquele desafio para a minha vida. Minha glicemia inicial era 298 mg/dl, mas na terceira semana já estava em 120 mg/dl. Perto de 30 dias no tratamento, já estava abaixo de 100 mg/dl. Quando completaram 30 dias eu já tinha reduzido de maneira fantástica a glicemia. Então, vi que tinha encontrado um controle para a doença.

Pensei: vou contar para o médico, ele vai gostar de saber. Quando entrei no consultório, ele me perguntou se estava tudo bem, disse que estava ótimo, me perguntou se estava tomando os remédios, eu disse que não. Ele começou a questionar como estava a minha saúde, a minha pressão, e eu respondi que estava tudo ótimo. Ele me disse que eu estava ficando maluco de não tomar os remédios. Disse a ele: "Doutor, não sou maluco, simplesmente resolvi pesquisar depois da minha consulta inicial contigo, e aquilo que me falou de que a diabetes não tem cura não é verdade. Eu encontrei um tratamento em cima das pesquisas que fiz, e a diabetes tem cura, doutor, e sem metformina".

Eu queria aproveitar esse momento para agradecer a todos os amigos que conheci no programa, queria agradecer em especial ao dr. Patrick Rocha. Acredito que o programa não é só dele, essa é uma opinião particular, mas acho que ele vem do coração de Deus para o coração do dr. Patrick. A responsabilidade dele com o tratamento é muito grande, é muito maior do que ele pensa, porque, além de levar transformação de vida, também agrega valor para as pessoas.

E isso só acontece quando mudo a minha alimentação, faço com que essa alimentação entre em sintonia com aquilo que é obra do criador, ou seja, Deus nos criou para nos alimentarmos de determinada maneira. Assim, quando descubro essa maneira inteligente de me alimentar, meu organismo entra em sintonia divina, e Deus opera à medida que eu entendo como deve funcionar. Isso é fantástico. Ensinar isso *é um grande desafio, e só uma pessoa muito especial para receber um compromisso e uma missão dessas.*

Então, quero agradecer a Deus, ao dr. Patrick e a sua equipe de trabalho. Continuem trabalhando, pesquisando, inovando, pois será positivo para muitas pessoas, não só aqui no Brasil, mas em todo o mundo.

CAPÍTULO 8

O PASSO A PASSO
DA ALIMENTAÇÃO INTELIGENTE

Nos capítulos anteriores aprendemos muito sobre a diabetes, muita informação teórica foi ensinada, talvez você esteja se perguntando: Como colocar tudo isso em prática?

A resposta está neste capítulo, em que apresentarei de forma simples e prática o passo a passo de uma alimentação inteligente.

Você terá em mãos: um guia de compras, a tabela de alimentos, sugestões de café da manhã, almoço, lanches e jantar. Todos esses alimentos já foram apresentados, agora estão reunidos aqui para facilitar sua rotina diária. Ao término deste capítulo você estará pronto para colocar o aprendizado em prática. Bastará ir ao supermercado, fazer as compras de sua nova alimentação, elaborar os cardápios, saborear as refeições e depois me enviar os resultados incríveis que você terá nos próximos 30 dias.

Vamos lá?

O material que compartilho com você, amigo leitor, é parte do meu treinamento avançado on-line, Diabetes Controlada, que já ajudou mais de 40 mil pessoas a controlar a doença. Pessoas do Brasil inteiro e de outros países já tiveram acesso a esse curso. No programa que é ministrado em videoaulas, mostro detalhadamente, em quatro módulos, tudo o que você precisa saber para o controle da diabetes. Lá também é disponibilizado um livro com dezenas de receitas on-line, com o passo a passo de cada uma delas.

Neste livro, infelizmente não é possível abordar com a profundidade do curso on-line, pois, além das videoaulas, temos um grupo fechado no Facebook com suporte nutricional, para tirar dúvidas, palestras bônus sobre potência cerebral, corpo magro e vida saudável, lista de suplementos naturais, além de um curso sobre colesterol e sua importância. Temos também uma comunidade vibrante que posta diariamente os resultados, depoimentos, trocam receitas da alimentação inteligente e se motivam nessa caminhada rumo a uma saúde plena.

Chegou a tão esperada hora de ir às compras.

O primeiro passo para ter uma alimentação que irá ajudar no controle de sua diabetes é fazer as compras dos alimentos saudáveis, ou, como chamo, alimentos inteligentes.

Segue, então, a lista de compras e alguns comentários sobre esses importantes alimentos:

HORTALIÇAS E LEGUMES

Podem e devem ser consumidos no almoço, associados a outros alimentos amigos (carnes e gorduras saudáveis). Eles ajudarão a nutri-lo e saciá-lo (sensação de se sentir saciado).

Folhas em geral: alface, rúcula, acelga, espinafre, couve, agrião. E ainda: brócolis, couve-flor, berinjela, alcachofra, tomate, cebola, pimentões, repolho, pepino, abobrinha, rabanete, cogumelos e algas.

TUBÉRCULOS

Devem ser consumidos com moderação (máximo duas colheres de sopa) no almoço. Se sua diabetes estiver muito descontrolada (níveis de glicemia no sangue em jejum acima de 200 mg/dl), evite-os, pois, apesar de serem alimentos saudáveis, elevam a glicose (açúcar) no sangue.

Abóbora ou jerimum (único da turma que não é tubérculo), inhame, aipim, batata-doce, beterraba.

Evite a batata-inglesa, pois ela eleva muito o açúcar no sangue.

FRUTAS

Para quem quer manter a diabetes controlada, priorize as frutas vermelhas que podem ser consumidas à vontade: morangos, mirtilos, framboesas, acerolas, amoras.

As frutas mais importantes (seu maior aliado) para manter sua diabetes controlada são coco e abacate. Eles são seus melhores amigos no controle da doença, pois são gorduras saudáveis que trazem nutrição e saciedade para o corpo, além de uma série de outros benefícios. Use-os diariamente.

Lembre-se de que os sucos mais saudáveis são de frutas vermelhas, limão e acerola (utilize stévia ou sucralose em pequenas quantidades para adoçar).

PROTEÍNAS/GORDURAS/ ÓLEOS SAUDÁVEIS

São alimentos amigos e devem ser consumidos junto com as hortaliças, contribuindo para o controle da diabetes. São eles: cortes de carne de gado gordurosas (gordura saturada não faz mal para o seu corpo!), frango com a pele, peixes diversos (sardinhas, atum, robalo, salmão, cavala, pargo, anchovas etc.), camarões, lagosta, sururu, arraia, ovas de peixe, ostras, pato, peito de frango, presuntos de qualidade (suínos, de peru), carne suína, ovos (de preferência caipiras, procure nos melhores supermercados ou no mercado central da sua cidade).

Evite enlatados e carnes processadas.

Óleos para cozinhar: óleo de coco, banha de porco, manteiga de leite natural e azeite extravirgem.

Óleos para temperar saladas: azeite de oliva prensado a frio extravirgem, óleo de linhaça prensado a frio e óleo de coco.

Outras gorduras saudáveis: leite de coco, bacon e azeitonas.

Laticínios: manteiga natural, queijos diversos naturais (evitar os *lights*), iogurte natural (adoçar com stévia ou sucralose), nata. Evite leite, ele eleva o açúcar no seu sangue.

SEMENTES E CASTANHAS

São excelentes opções para lanches, fáceis de transportar e práticas.

Castanhas-de-caju (cerca de dez por lanche), castanhas-do-pará (3 a 5 por lanche), nozes, macadâmias, sementes de girassol, sementes de abóbora, gergelim, pasta de amendoim (sem açúcar, natural), amêndoas, linhaça e chia.

ARROZ E FEIJÃO, QUINOA, LENTILHAS E ERVILHAS

Consumir com moderação (máximo de duas colheres de sopa no almoço). Se puder evitar o arroz, melhor ainda. Ele eleva o açúcar no sangue e pode dificultar o controle da diabetes. O feijão-preto é melhor do que o carioquinha para o controle da doença. Arroz integral é melhor, mais nutritivo do que o branco. Mas repetindo: se puder evitá-los será melhor. A quinoa e a lentilha são as melhores opções!

IMPORTANTE

Se sua diabetes estiver muito descontrolada (níveis de glicemia no sangue em jejum acima de 200 mg/dl), evite estes alimentos: arroz, feijão, quinoa, lentilhas e ervilhas. Se uma hora após comê-los a glicemia estiver acima de 140 mg/dl, diminua a quantidade ou evite. Se estiver abaixo desse valor não há problemas no consumo moderado.

Agora que você já tem a lista de compras, vou compartilhar a tabela de alimentos, divididos em: melhores amigos, amigos, colegas e inimigos. Quando você tiver qualquer dúvida sobre determinado alimento, é só consultar. No final do livro disponibilizarei um link com diversos bônus e essa tabela também estará lá para você imprimir e consultar sempre que precisar.

Deixe-os à vista: na porta da geladeira ou do armário para estarem sempre disponíveis para consultas.

ALIMENTO	MELHOR AMIGO	AMIGO	COLEGA	INIMIGO
ABACATE	X			
ABACAXI			X	
ABÓBORA			X	
AÇAÍ		X		
ACEROLA		X		
AÇÚCAR				X
ÁLCOOL				X
ALIMENTOS DIET				X
ALIMENTOS LIGHTS				X

ALIMENTO	MELHOR AMIGO	AMIGO	COLEGA	INIMIGO
AMARANTO			X	
AMEIXA			X	
AMÊNDOAS		X		
AMENDOIM			X	
ARROZ INTEGRAL			X	
AZEITE DE OLIVA	X			
AZEITONAS		X		
BANANA			X	
BARRA DE CEREAL				X
BATATA DOCE			X	
BATATA INGLESA				X
BETERRABA			X	
BISCOITOS				X
CAFÉ		X		
CAQUI			X	
CARNES BRANCAS		X		
CARNES VERMELHAS		X		
CASTANHAS DE CAJÚ		X		
CASTANHAS DO PARÁ		X		
CENOURA			X	
CHÁS		X		
CHIA			X	
COALHADA		X		
COCO	X			
CREME DE LEITE		X		
CURAL				X
CUSCUZ				X
DAMASCO			X	
ENERGÉTICO				X
ERVILHAS			X	

ALIMENTO	MELHOR AMIGO	AMIGO	COLEGA	INIMIGO
FARINHA AMÊNDOA		X		
FARINHA DE ARROZ				X
FARINHA DE CHIA			X	
FARINHA DE COCO	X			
FARINHA DE FRANGO		X		
FARINHA DE TRIGO				X
FARINHA MANDIOCA			X	
FEIJÃO			X	
FERMENTO				X
FIGO			X	
FRAMBOESAS		X		
FRUTAS CRISTALIZADAS				X
FRUTAS SECAS			X	
FRUTOS DO MAR	X			
GOIABA			X	
GOJI BERRY		X		
GRÃO DE BICO			X	
HORTALIÇAS		X		
INHAME			X	
IOGURTE ADOÇADO				X
IOGURTE NATURAL		X		
LARANJA FRUTA			X	
LEITE DE SOJA				X
LENTILHAS			X	
LIMÃO		X		
LINHAÇA			X	
MAÇÃ			X	
MAÇÃ VERDE			X	
MACADÂMIAS		X		
MACARRÃO				X

ALIMENTO	MELHOR AMIGO	AMIGO	COLEGA	INIMIGO
MAMÃO			X	
MANDIOCA			X	
MANGA			X	
MANTEIGA	X			
MARGARINA				X
MELANCIA			X	
MELÃO			X	
MIRTILOS		X		
MOLHO SHOYU			X	
MORANGO		X		
MORTADELAS			X	
NATA		X		
NOZES		X		
ÓLEO DE ALGODÃO				X
ÓLEO DE CANOLA				X
ÓLEO DE COCO	X			
ÓLEO DE LINHAÇA			X	
ÓLEO DE MILHO				X
ÓLEO DE SOJA				X
OVO	X			
PAMONHA				X
PÃO INTEGRAL				X
PEIXES	X			
PÊRA			X	
POLENTA				X
PROTEÍNA DE SOJA				X
QUEIJOS NATURAIS		X		
QUINOA			X	
REFRIGERANTES				X
SALSICHAS				X

ALIMENTO	MELHOR AMIGO	AMIGO	COLEGA	INIMIGO
SEMENTE DE ABÓBORA		X		
SEMENTE DE GIRASSOL		X		
SUCOS INDUSTRIAIS				X
TANGERINA			X	
TAPIOCA			X	
UVAS			X	

LISTA DE COMPRAS

Como transformar o carrinho de compras no seu maior aliado para o controle da diabetes

HORTALIÇAS E LEGUMES: folhas em geral: alface, rúcula, acelga, espinafre, couve, agrião. Brócolis, couve-flor, berinjela, alcachofra, tomate, cebola, pimentões, repolho, pepino, abobrinha, rabanete, cogumelos, algas.

TUBÉRCULOS: abóbora ou jerimum (único da turma que não é tubérculo), inhame, aipim, batata-doce, beterraba.

FRUTAS: coco, abacate, frutas vermelhas (morango, framboesa, mirtilo, cereja, *blueberry*, *gojiberry*, amora), açaí, ameixa, limão, acerola, pitanga.

PROTEÍNAS/GORDURAS/ÓLEOS SAUDÁVEIS: frango com a pele, peixes diversos (sardinhas, atum, robalo, salmão, cavala, pargo, anchova etc.), camarões, lagosta, sururu, arraia, ovas de peixe, ostras, pato, peito de frango, presuntos de qualidade (suínos, de peru), carne suína e ovos.

ÓLEOS PARA COZINHAR: óleo de coco, banha de porco, manteiga de leite natural e azeite.

ÓLEOS PARA TEMPERAR SALADA: azeite de oliva prensado a frio extravirgem, óleo de linhaça prensado a frio, óleo de coco.

LATICÍNIOS: manteiga natural, queijos diversos naturais, iogurte natural, creme de leite, nata.

SEMENTES E CASTANHAS: castanhas-de-caju, castanhas-do--pará, nozes, macadâmias, sementes de girassol, sementes de abóbora, gergelim, pasta de amendoim (sem açúcar, natural), amêndoas, linhaça e chia.

GRÃOS E CEREAIS: arroz integral, feijão (preferencialmente o preto), ervilha, lentilha e quinoa.

FARINHAS: farinha de coco, farinha de tapioca, farinha de amêndoas e farinha de linhaça, farinha de chia, farinha de frango, fécula de batata, polvilho doce.

BEBIDAS: café orgânico e chás (naturais).

ADOÇANTES: stévia e sucralose.

Agora que você já tem a lista de compras e a tabela de alimentos, vou apresentar-lhe sugestões de refeições para café da manhã, almoço, jantar e lanches. Dessa forma você estará preparado para iniciar seu novo estilo de vida com a alimentação inteligente.

SUGESTÕES DE REFEIÇÕES

CAFÉ DA MANHÃ

ALIMENTOS MELHORES AMIGOS PARA O CAFÉ DA MANHÃ:

- **Ovos caipiras/orgânicos** (preferencialmente)

- **Bacon artesanal** (preferencialmente)

- **Queijos diversos** (de preferência os ricos em gorduras, como prato, muçarela, minas padrão)

- **Presunto ou mortadela artesanais**

- **Frutas vermelhas** (morango, mirtilo, framboesa, cereja, amora), **acerola e pitanga**

- **Abacate**

- **Coco**

- **Café sem adoçar** (ou com adoçantes: stévia e sucralose)

- **Suco de limão ou maracujá sem adoçar** (ou com adoçantes: stévia e sucralose)

- **Leite de coco**

- **Iogurte natural integral**

- **Coalhada caseira**

- **Creme de leite fresco** (preferencialmente) ou nata

EXEMPLOS:

• Ovos mexidos com queijo e bacon feito na manteiga

• Iogurte natural integral batido com abacate e adoçado a gosto

• Café orgânico com 1 colher de sopa de óleo de coco ou uma colher rasa de manteiga (esta é uma ótima pedida para quem não tem fome pela manhã)

• Abacate batido com água ou creme de leite e morango (polpa ou fruta). Pode adoçar com algumas gotas de stévia ou sucralose

• Frutas amigas batidas ou misturadas com leite de coco ou iogurte natural ou coalhada caseira ou creme de leite fresco (nata)

• Omeletes diversas (pode rechear com atum, queijos, cebola, salsinha, frango, bacon etc.)

ALMOÇO/JANTAR

ALIMENTOS MELHORES AMIGOS E AMIGOS PARA O ALMOÇO OU JANTAR:

- **Carnes diversas** (bovina, suína, peixes e frutos do mar, aves etc.)

- **Miúdos** (coração, fígado, moela etc.)

- **Toucinho e bacon** (preferencialmente artesanais)

- **Linguiças caseiras/artesanais** (preferencialmente)

- **Ovos fritos, cozidos, mexidos, omeletes etc.**

- **Hortaliças (para acompanhar as carnes):** alface, rúcula, acelga, espinafre, couve, agrião e outras folhas. Brócolis, couve-flor, berinjela, alcachofras, tomate, cebola, pimentões, repolho, pepino, abobrinha, algas etc.

EXEMPLOS:

- Carne bovina, ovos fritos e salada de alface e tomate com berinjelas refogadas na manteiga

- Frango recheado com queijo e presunto acompanhado de salada de couve, abobrinhas e tomates

- Lombo suíno ou outro corte de carne suína com tomates, alface, rúcula e pepino

- Peixes ou outros frutos do mar com salada e rúcula, espinafre e tomate

- Pimentões ou abobrinhas recheadas com a carne da sua preferência

LANCHES

ALIMENTOS MELHORES AMIGOS E AMIGOS PARA O LANCHE:

- **Oleaginosas como:** castanhas, amêndoas, nozes, pistaches

- **Iogurte natural integral com frutas vermelhas** (morango, cereja, amora, framboesa, mirtilo) pitanga e acerola

- Coco

- **Abacate batido com leite de coco**

Esse é o passo a passo da alimentação inteligente. Garanto a você, amigo leitor, que, seguindo esses passos, estará em poucas semanas controlando seus níveis de glicose no sangue e trilhando seu caminho rumo à saúde que tanto merece.

No próximo capítulo conversaremos sobre seu novo estilo de vida, tirarei as principais dúvidas que podem surgir sobre alimentação inteligente e outros temas importantes, como hidratação, atividade física, níveis de resistência à insulina e muito mais.

CAPÍTULO 9

DÚVIDAS FREQUENTES DO NOVO ESTILO DE VIDA

Neste capítulo vamos conversar sobre as principais dúvidas em seu novo estilo de vida. É muito comum surgirem dúvidas diversas sobre a nova forma de se alimentar. Pensando nisso reuni algumas das principais, para juntos sanarmos cada uma delas, o mais importante: tudo referenciado com estudos de elevado nível de evidência científica. Assim você poderá seguir em frente, com segurança e tranquilidade.

OS PRIMEIROS DIAS

Quando você retira da alimentação os alimentos inimigos (trigo, açúcar, alimentos *light* etc.), seu corpo poderá sentir o que chamamos de abstinência: dor de cabeça, mal-estar, mau humor, em alguns casos tonturas. Foram muitos anos utilizando esses alimentos que contribuíram muito para torná-lo um diabético.

A solução, então, é beber muita água (pelo menos 3 litros por dia), consumir sal grosso moído ou sal rosa do Himalaia em saladas ou misturado com água. Quando seus níveis de glicose e insulina caem com a retirada dos alimentos inimigos, você desidrata, perdendo água e sal, daí a necessidade de repor. Dessa forma, boa parte dos sintomas desaparece e, caso alguns persistam, não se preocupe, em poucos dias você estará bem e desfrutando dos benefícios do seu novo estilo de vida.

A IMPORTÂNCIA DA ATIVIDADE FÍSICA

Outra dúvida muito comum é sobre a atividade física. Muitos alunos me perguntam se ela realmente é essencial para o controle da diabetes. É claro que a alimentação é a principal estratégia para controlar sua diabetes, mas a atividade física é também importantíssima, juntas irão garantir o controle da sua diabetes e trazer muitos outros benefícios.

Mas qual a melhor atividade física para diabéticos? O ideal é associar uma atividade do tipo aeróbica (caminhada, corrida, natação ou ciclismo). Escolha uma delas e associe com a musculação.

Mas por quê? É simples. Enquanto a atividade aeróbica melhora seu condicionamento físico, cardíaco e respiratório, a musculação o ajuda a construir massa magra, prevenir a sarcopenia (perda de força muscular) e a osteoporose. Os benefícios da musculação vão além: há ainda o aumento do metabolismo, que favorece o controle da diabetes.[61]

Em relação a atividade física aeróbica (caminhada, corrida, natação ou ciclismo), o ideal é praticá-la intervalada, ou seja, em vez de 30/45 minutos no mesmo ritmo, procure variar a intensidade, como no exemplo a seguir:

• Cinco minutos de caminhada em velocidade normal ou de forma lenta (pode ser também natação ou ciclismo)

• Três minutos de caminhada mais veloz

• Repita os cinco minutos de caminhada em velocidade normal

Complete vários ciclos (de 4 a 7 ciclos), de acordo com o seu condicionamento físico. Lembre-se: você pode

---

61 COLBERG, Sheri R. Exercise and Type 2 Diabetes. *Diabetes Care*, v. 33, n. 12, dez. 2010, p. e147–e167. Disponível em: <https://www.ncbi.nlm.nih.gov/pmc/articles/PMC2992225>. Acesso em: 9 mar. 2017.

substituir a caminhada por corrida, natação ou ciclismo, de acordo com seu interesse.

Esse tipo de atividade é muito mais efetivo para o controle da glicemia no sangue do que a atividade física convencional (ficar na mesma velocidade) e a ciência nos mostra isso.[62]

Finalmente, lembre-se sempre de procurar o seu médico antes de começar qualquer atividade física. Procure também um bom educador físico, para ajudá-lo com um treinamento supervisionado de atividade física intervalada e musculação.

FÍGADO GORDUROSO

Alguns alunos me perguntam: dr. Rocha, alimentação rica em gorduras não vai tornar meu fígado gorduroso? Respondo: seguramente não.

Este é um assunto indiscutível no meio científico: uma alimentação rica em gordura, não causa nem piora a esteatose hepática (fígado gorduroso). A alimentação de baixo carboidrato contribui para a melhora do quadro.

---

62 FRANCOIS, Monique E.; LITTLE, Jonathan P. Effectiveness and Safety of High-Intensity Interval Training in Patients With Type 2 Diabetes. *Diabetes Spectr.*, v. 28, n. 1, jan. 2015. p. 39-44. Disponível em: <https://www.ncbi.nlm.nih.gov/pmc/articles/PMC4334091/>. Acesso em: 9 mar. 2017.

Infelizmente, o fígado gorduroso é uma das complicações mais comuns em diabéticos tipo 2, obesos, pessoas com resistência à insulina, triglicérides altos e hipertensos. Resumindo: é uma doença comum em pessoas com síndrome metabólica.

Num fascinante estudo, voluntários com diferentes características (magros, obesos, com a insulina elevada no sangue e com insulina normal no sangue) foram submetidos à alimentação inteligente e à alimentação tradicional, então a produção de gordura no fígado foi mensurada: a dieta tradicional levou a um aumento significativo de produção de gordura no fígado, assim como à elevação da insulina no sangue (hiperinsulinemia). Observou-se que com a alimentação inteligente, houve a diminuição dessas taxas.[63]

DOENÇAS RENAIS: INSUFICIÊNCIA RENAL, GOTA E ÁCIDO ÚRICO ELEVADO

Alguns alunos me perguntam se a alimentação inteligente não prejudica quem tem problemas renais, como

---

63 SCHWARZ, Jean-Marc et al. Hepatic de novo lipogenesis in normoinsulinemic and hyperinsulinemic subjects consuming high-fat, low-carbohydrate and low-fat, high-carbohydrate isoenergetic diets. *Am J Clin Nutr*, v. 77, n. 1, jan. 2003, p. 43-50.
Disponível em: <http://ajcn.nutrition.org/content/77/1/43>. Acesso em: 9 mar. 2017.

insuficiência renal, gota ou ácido úrico elevado. A resposta é não, pois as proteínas não são maléficas aos rins saudáveis.

Algumas complicações muito comuns na diabetes são insuficiência renal, gota e ácido úrico elevado. Isso ocorre devido à má filtração dos rins e à grande quantidade de açúcar circulante no sangue do diabético e não ao consumo de proteínas. Desse modo, o rim fica sobrecarregado e não desempenha de forma correta a sua função. Portanto, se você tem problemas renais, não se deve ao consumo de proteínas.[64]

Por outro lado, vale também lembrar que a alimentação inteligente não é necessariamente uma alimentação rica em proteína, a quantidade de proteína deve ser equilibrada. Lembre-se de que a base da alimentação inteligente é composta por vegetais e gorduras saudáveis.

TESTANDO OS ALIMENTOS

Uma dúvida muito comum é a seguinte: como vou saber se determinado alimento irá subir ou não minha glicemia? A resposta é simples: faça o teste.

64 MARTIN, William F. et al. Dietary protein intake and renal function. *Nutr Metab* (Lond), v. 2, n. 25, 2005. Disponível em: <https://www.ncbi.nlm.nih.gov/pmc/articles/PMC1262767/?tool=pubmed>. Acesso em: 9 mar. 2017.

Escolha o alimento a ser testado e use o glicosímetro antes e uma hora depois de consumi-lo. Se o valor for menor que 140 mg/dl, não há problemas com aquela quantidade de determinado alimento, se for maior que 140 mg/dl, você deve ajustar a quantidade e testar novamente ou evitar o alimento. Simples assim.

Lembre, porém, que alimentos inimigos nem precisam ser testados, pois desregulam sua glicemia rapidamente. Faça o teste com os alimentos colegas e encontre a quantidade segura que você pode consumir sem afetar sua saúde.

NÍVEIS DE RESISTÊNCIA À INSULINA

Cada organismo é único e carrega uma história com a diabetes. Aqui não podemos acreditar que tudo vai mudar da noite para o dia, somos humanos, e não máquinas. Por isso, existem níveis de resistência à insulina diferentes. Isso explica por que algumas pessoas controlam a diabetes em poucos dias com a alimentação inteligente, enquanto outras levam até poucas semanas.

Outros fatores que influenciam positiva ou negativamente são a prática de atividade física, que ajuda bastante a vencer essa resistência; o estresse e a ansiedade, que atrapalham muito; o uso de medicamentos como cortisol ou antidepressivo e estatinas (medicamentos para abaixar o colesterol), que pioram a resistência à insulina.

Portanto, vamos respeitar o nosso organismo e ter paciência. Todos terão sucesso e atingirão seus objetivos à medida que a alimentação inteligente for seguida corretamente, mas cada um no seu tempo, no tempo do seu organismo.

SONO, ESTRESSE E ANSIEDADE

Esses três fatores são importantíssimos para o controle da diabetes. Um bom sono é fundamental para a diminuição do estresse e da ansiedade, o que é importante, principalmente porque diminui os níveis de cortisol, um hormônio que, quando elevado, aumenta muito os níveis de resistência à insulina, piorando sua diabetes.[65]

Quanto maiores o estresse e a ansiedade, maior será o cortisol e pior o quadro da diabetes. Daí a im-

65 KNUTSON, Kristen L. Impact of sleep and sleep loss on glucose homeostasis and appetite regulation. *Sleep Med Clin.*, v. 2, n. 2, jun. 2007, p. 187-197. Disponível em: <https://www.ncbi.nlm.nih.gov/pmc/articles/PMC2084401/>. Acesso em: 9 mar. 2017.

portância de praticar atividade física regular e outras que envolvem exercícios respiratórios e alongamentos (pilates, yoga, tai chi, meditação etc.).[66]

Essas atividades sabidamente auxiliam no melhor controle da ansiedade, estresse e consequentemente da diabetes, melhorando, inclusive, o sono, dentre outros benefícios.

POR QUE A GLICEMIA É MAIS ALTA PELA MANHÃ?

Essa dúvida é comum e a explicação é muito simples: quando você passa a se alimentar de forma inteligente, reduzindo os carboidratos e consumindo mais gorduras saudáveis, o seu corpo passa a usar a gordura como fonte de energia, é por isso que você emagrece.

No entanto, alguns órgãos e tecidos do corpo precisam de certa quantidade de glicose (cérebro, rins e células do sangue) e o seu fígado produz essa quantidade de glicose à noite, durante o sono. Outros tecidos, como a gordura e os músculos, deixam de uti-

---

66 INNES, Kim E.; SELFE, Terry Kit. Yoga for Adults with Type 2 Diabetes: A Systematic Review of Controlled Trials. *Journal of Diabetes Research*, v. 2016, 2016. Disponível em: <https://www.hindawi.com/journals/jdr/2016/6979370/>. Acesso em: 9 mar. 2017.

lizar essa glicose para que ela seja usada nos órgãos que precisam mais.

Por isso, às vezes a glicemia de jejum dá em torno de 100 a 120 mg/dl, sem causar problema algum. A sua glicemia média mais baixa ao longo do dia é o que importa. Basta tomar seu café ou almoçar e medir uma hora depois que você verá que o valor estará abaixo de 140 mg/dl, perfeitamente normal.

Outro exame que mostra se está tudo bem é a hemoglobina glicosilada, que, na alimentação inteligente, baixará gradativamente para valores normais, mostrando que sua glicemia está mais baixa ao longo das 24 horas do dia.[67]

ENTENDENDO O COLESTEROL TOTAL, TRIGLICERÍDEOS E HDL

Com esses três parâmetros, dá para saber se há resistência à insulina ou risco de desenvolvimento de doenças cardiovasculares. É fundamental para quem é diabético aprender a ler e interpretar esses parâmetros dos exames laboratoriais, pois eles ajudam muito

67 DOBROMYLSKYJ, Petro. Physiological insulin resistance; Dawn Phenomenon. *Hyperlipid*, 20 maio 2008. Disponível em: <http://high-fat-nutrition.blogspot.com.br/2008/05/physiological-insulin-resistance-2-dawn.html>. Acesso em: 9 mar. 2017.

no controle da doença, mostrando os níveis de resistência à insulina e as chances de se desenvolver doenças cardiovasculares.

Primeiro, é preciso pegar o colesterol total e dividir pelo HDL; o resultado dessa divisão mostra os riscos de se desenvolver doenças cardiovasculares (infarto e AVC). O ideal é que o valor fique abaixo de 4,5, quanto menor o resultado dessa divisão, melhor será para a sua saúde, menor o risco de ter um infarto ou AVC.

O ideal é que o HDL (considerado o bom colesterol) possa subir com uma alimentação inteligente associada a uma atividade física regular e à suplementação adequada. Os valores do colesterol total, vistos de forma isolada, não significam nada, o que importa é a qualidade e não os valores absolutos do colesterol total.

O colesterol alto não tem relação com doenças cardiovasculares, o que já foi provado pela boa ciência, o importante é a qualidade.

Mais um parâmetro importante são os triglicerídeos, que chamo de TG. Dividindo esse índice pelo

HDL, o ideal é encontrar um resultado abaixo de 2,0. Essa relação mede a resistência do seu corpo à insulina, um fator importantíssimo. Ela é a principal causa da diabetes tipo 2. Se os triglicerídeos estiverem mais baixos e o HDL mais alto, você terá um número próximo ao desejado, ou seja, sinal de que está revertendo sua resistência à insulina, portanto também sua diabetes tipo 2. É necessário diminuir os triglicerídeos, retirando pães, massas, bolos, doces, açúcar, trigo e alimentos similares. Com isso, os valores dos triglicerídeos irão cair muito.

Esses três parâmetros dão uma ótima ideia para acompanhar a diabetes. Agora você conseguirá interpretar esses exames.

MEU FILHO É DIABÉTICO TIPO 1, ELE PODE SEGUIR A ALIMENTAÇÃO INTELIGENTE?

Esta é uma pergunta comum, que pais de filhos com diabetes tipo 1 fazem pois se preocupam com a alimentação deles. Entenda que a alimentação inteligente (de baixo carboidrato) tem excelentes resultados para quem é diabético tipo 1, cujo organismo não produz mais insulina, reduzindo de forma significativa a necessidade de aplicação de doses sucessivas de insulina injetáveis, evitando as complicações da diabetes a longo prazo.[68]

A seguir você pode acompanhar a história do Pedrinho, diabético tipo 1, aluno do curso Diabetes Controlada, contada pela sua mãe Jael:

Me chamo Jael, sou a mãe do Pedro Henrique, ele tem 8 anos e sempre foi uma criança muito saudável. Todo mês levava-o ao pediatra para fazer exames de rotina, ele nunca teve problema nenhum.

Até que, há mais ou menos uns dois anos, o Pedro Henrique passou muito mal. Ele estava na casa da minha mãe, que me ligou dizendo que tinha alguma coisa errada, porque ele tinha dormido lá e feito xixi na cama. Ele nunca havia feito xixi na cama nem quando era bebê, estava tomando água demais e nada estava saciando a sede que sentia. Pensamos que era coisa de criança, porque ele estava com a prima, e cheguei

68 NIELSEN, Jørgen Vesti. Low carbohydrate diet in type 1 diabetes, long-term improvement and adherence: A clinical audit. *Diabetol Metab Syndr.*, v. 4, n. 23, 2012. Disponível em: <https://www.ncbi.nlm.nih.gov/pmc/articles/PMC3583262/>. Acesso em: 9 mar. 2017.

a pensar que estavam competindo para ver quem tomava mais água, mas não era.

Ele dormiu na casa da minha mãe esse dia, mas, antes de amanhecer, minha mãe ligou dizendo que ele estava ruim demais, que devia buscá-lo para levá-lo ao médico. Quando cheguei lá e o vi, me desesperei: ele chorava, vomitava, com uma forte dor na barriga, e eu o agarrei e saí correndo.

Quando cheguei ao pronto socorro ele estava praticamente desmaiado nos braços do meu irmão. Entramos correndo, o médico veio logo atender e a primeira pergunta que ele me fez foi se tinha algum diabético na família. Simplesmente respondi que não, eu estava anestesiada com aquela situação toda.

O médico falou que a suspeita era de diabetes. Ele estava muito desidratado, e aí já fez o teste na hora com o glicosímetro, de cara já constou 490 mg/dl. O médico falou que ele já estava entrando em coma. Me desesperei, tiveram que me socorrer porque não tive forças para ficar de pé, porque pensei só no pior. Colocaram-no no soro, aplicaram medicação para tirar a dor da barriga, ele melhorou da dor, e começaram a aplicar bastante soro para hidratá-lo. Eles queriam esperar o exame do laboratório para aplicar insulina, queriam ter uma confirmação. Eu fiquei desesperada, porque toda hora eles faziam o teste. Teve um momento que o glicosímetro não mediu mais nada.

Finalmente chegou um médico muito amigo que, ao ver meu desespero, se dispôs a aplicar insulina no Pedro. Ele contrariou todos os médicos e a aplicou quando a glicose dele começou a abaixar. Mas foi um dia inteiro para chegar a 300 mg/dl. Quando chegou mais ou menos a 200 mg/dl, 300 mg/dl, porque estava oscilando bastante, nós fomos para Anápolis.

A médica veio com os exames em mãos e deu o diagnóstico: seu filho é diabético tipo 1, ele não pode isso e não pode aquilo. Terá que medir a glicose de três a cinco vezes por dia, terá que tomar insulina até cinco vezes ao dia se for preciso, aquele dilema que o diabético passa, foi aí que começou todo o sofrimento.

Não tinha noção do que era conviver com um diabético, não sabia nem pegar em uma canetinha para furar o dedo dele. Estava com o emocional abalado de tanto picar o dedinho dele, e ele não se conformava com aquilo e me perguntava o que estava acontecendo, quando aquilo ia parar e se ia ser para sempre. A médica disse que era para o resto da vida dele, na frente dele. Ele me perguntou se era mesmo, e eu não sabia o que responder. Eu disse que não, que a minha fé era maior do que aquilo, que Jesus ia curá-lo.

Com o tempo nos acostumamos com as picadas, porque era a realidade, mas a glicose dele estava sempre descontrolada, e ele seguindo direitinho a alimentação que a nutricionista passava. Todo mês eu o levava à nutricionista, ao pediatra e ao endócrino. Ele seguia direitinho, fazendo exercício físico, fazendo natação, mas não dava resultado.

Um dia que ele descontrolou bastante, já não achava mais saída, ele me perguntava "Mamãe, por que só eu?". Na hora de comer era quando ele mais sentia. Para ele não se sentir tão sozinho eu só comia o que ele comia, abracei sua causa.

Pesquisei por vários dias, até que um dia encontrei um depoimento de uma pessoa sobre o pai que era diabético. Ela falava que no começo também não acreditava muito nesse programa, mas viu que teve resultado, por isso dava seu depoimento, porque serviria para muita gente.

Acessei o link e vi toda a reportagem, corri para contar para o meu marido. Parece que foi Deus que me fez encontrar aquele depoimento naquela hora, porque já estava chorando e pedindo para Ele me iluminar, porque era a única saída que tinha, pesquisar algo na internet.

Meu esposo pediu que eu pesquisasse certinho como era, então me aprofundei. No mesmo dia adquiri o programa e tive *acesso aos vídeos, na mesma hora já liberou tudo. Na noite que comprei, assisti a vários vídeos porque não aguentei esperar, era um módulo por semana, mas eu não aguentei, já assisti quase todos logo. No outro dia de manhã nós começamos tudo de novo. De manhã o Pedro Henrique já começou com a alimentação inteligente e na hora do almoço sua glicose estava 70 mg/dl, mas no dia anterior media 300 mg/dl na hora do almoço.*

No primeiro dia da alimentação inteligente eu tinha de levá-lo ao médico em Anápolis, mas não comentei nada. Ele mediu a glicose do Pedro e disse que ele estava ótimo.

O que tenho para dizer para as mães que estão nessa mesma luta é que não percam as esperanças, porque tem jeito, sim, diabetes não é o fim e o Pedro Henrique é prova viva disso. Lutem com fé, sigam a alimentação inteligente direitinho, que é certo, dá certo, sim. Como estamos seguindo de forma correta, a realidade do Pedro hoje é outra. Graças a Deus o meu filho é saudável, dorme bem, aliás todos agora dormimos bem, sem medo, porque antes não dormíamos, apenas cochilávamos.

Não percam as esperanças, pois tem jeito, sim! Não tenho nem palavras para agradecer ao dr. Rocha. Eu acredito que foi Deus que o colocou em nosso caminho, porque antes de abrir aquele computador pedi a Ele que me desse uma luz, não sabia mais o que fazer e o encontrei lá.

Rezo todo dia por ele, que Deus continue abençoando essa carreira, essa trajetória, pois está salvando muitas vidas. Muitíssimo obrigada.

CONCLUSÃO

Amigo leitor, você chegou até aqui comigo, viu a realidade da epidemia de diabetes tipo 2 no Brasil e no mundo, que é causada por uma alimentação baseada na pirâmide alimentar criada em 1970 nos Estados Unidos e propagada para outros países. Aprendeu também que a diabetes tipo 2 pode ser prevenida e controlada por meio da simples troca da alimentação com alto teor de carboidratos refinados e baixo teor de gorduras saudáveis por outra de baixo teor de carboidratos e alto teor de gorduras saudáveis, associada a atividade física.

As metanálises (estudos de alto nível de evidência científica), das maiores universidades do mundo, comprovaram essa verdade. A Suécia, em 2011, foi pioneira em adotar o tratamento da diabetes, baseada nesses estudos. Os resultados foram surpreendentes.

No Brasil, há quase dois anos, a equipe de treinamento do Programa Diabetes Controlada, ministrado pela internet, já ajudou mais de 40 mil alunos a controlarem a diabetes e a prevenirem na vida de seus filhos e entes queridos.

Você teve acesso a depoimentos verídicos de alunos do programa que tiveram a saúde e qualidade de vida resgatadas.

Agora que você tem as informações corretas, coloque-as em prática e garanto que, em poucas semanas, terá seus próprios resultados.

Reconheça o poder que tem agora, o poder da escolha dos alimentos certos, dos melhores amigos e amigos da sua saúde. Seja um multiplicador, espalhe essa mensagem transformadora que salva vidas.

Conto com sua ajuda nesta grandiosa missão.

Um forte abraço,

Dr. Rocha

CARO LEITOR,

Eu não podia finalizar este livro sem lhe dar um presente para ajudá-lo ainda mais nesta nova etapa de sua vida. Disponibilizei em meu site alguns bônus muito importantes para aprofundar o seu conhecimento.

Acesse:

www.drrocha.com.br/livrobonus

e tenha acesso a:

Palestra sobre
"Diabetes e doenças relacionadas"

Artigo:
"Como analisar seus exames laboratoriais"

Palestra sobre

"Os 3 grandes mitos da alimentação"

Comer de 3 em 3 horas

O sal aumenta pressão arterial

Gordura saturada aumenta o colesterol

Tabela de classificação dos alimentos

Espero que goste desta surpresa e que esses materiais o motivem a buscar cada vez mais melhorias em sua vida!

Este livro foi impresso pela Gráfica Assahi em
papel pólen bold 70 g/m² em outubro de 2021.